Una vida de sumisión

Juegos Sexuales e Historias Explícitas Tabú para Hombres Maduros

MANUEL GARCÍA

Notas

Estas novelas son totalmente una obra de ficción. Los nombres, los personajes y los acontecimientos que en él se representan son producto de la imaginación del autor. Cualquier parecido con personas reales, vivas o muertas, sucesos o lugares es totalmente casual.

Ninguno de los personajes representados en estas historias es menor de 18 años, está ligado por la sangre o participa en actos de los que no desea formar parte.

¡Sígueme!

Haz clic aquí o escanea el código QR para seguirme (¡hay cuatro historias gratis esperándote!)

allmylinks.com/erosandlovegay

Índice

Una vida de sumisión

Preámbulo

Ysan soy yo, pero en realidad todo el mundo me llama ahora Flo, diminutivo de Florencia, como quería mi Maestro.

Pintor, 35 años, soy muy bajito (apenas 1,6 m), con una cara armoniosa y un bonito pelo rubio ondulado. Debido a mis orígenes asiáticos, soy perfectamente lampiña y no tengo ningún pelo, salvo una ligera pelusa alrededor de los genitales, que me quito con cuidado. Mi piel suave y dorada está hecha para las caricias. Tomando hormonas regularmente, mis pechos se han desarrollado, tengo unos pequeños pechos de adolescente que gustan mucho a mis amantes. Pero su mayor excitación se encuentra en el fuerte arco de mis lomos, la armoniosa redondez de mi grupa y mi ojito siempre dispuesto a tragarse hasta las pollas más gordas.

Mi pequeña polla bien oculta en mi entrepierna por un ingenioso dispositivo del que te hablaré más adelante, encaramada a mis tacones de aguja, mi cintura atrapada en un corsé de cuero cuyos tirantes subyacen a mis medias negras con costuras, ¿sigo siendo un niño o ya soy una niña? No puedo decirlo. Un querubín andrógino, una muñeca del amor, un juguete sexual para mis amantes y también para mis amas. Encuentro mi placer en una completa sumisión al otro a través de todos los juegos perversos que me imponen.

¿Pero cómo he llegado hasta aquí? Es el resultado de una larga historia que quiero contarte, pero que me llevará muchos capítulos.

Capítulo I

Desde muy joven tuve el don de pintar y dibujar. Cuando tenía 18 años, quería dejar a mi familia e ir a París a estudiar bellas artes. Mi profesor era un coloso barbudo de 40 años, me fascinaba, le llamaba? mi Maestro?

No tardé en darme cuenta de que mi Maestro también estaba muy interesado en mí, y no sólo por la calidad de mis pinturas y dibujos. Me rodeaba constantemente, pasándome la mano por el pelo, agarrándome por la cintura o dejándome una mano en las nalgas. Con el pretexto de guiarme para sujetar el cepillo, no dudó en venir y pegarse detrás de mí y sentí su sexo erecto contra mi grupa. Me sentí avergonzado y sonrojado, convencido de que todos mis compañeros se dieron cuenta de sus acciones.

Una tarde, con el pretexto de terminar un dibujo, me retuvo en el estudio después de que los demás alumnos se hubieran marchado:

- Ysan, te he estado observando durante mucho tiempo, estás caliente, tu cuerpo debe ser hermoso, quiero que poses para mí, quítate la ropa

La orden era imperativa, estaba fascinada, en un instante estaba completamente desnuda delante de él:

- Colócate en este pedestal, con las manos detrás de la nuca, de puntillas, arquea la espalda.

Empezó a dar vueltas lentamente a mi alrededor, me quedé petrificada. Entonces se acercó. Con la punta de sus dedos me rozó la grupa, provocando mis primeros escalofríos. Sus caricias se hicieron más precisas en torno a mi sexo, cuya erección no podía controlar. Me pellizcó con fuerza las puntas de los pechos, pero el dolor me produjo un principio de placer. Y luego, sin decir una palabra, se alejó y empezó a hacer sus bocetos.

Estaba agotada por la sesión de posado, pero no me atrevía a moverme:

- mi pequeño Ysan, debes estar cansado, ve al sofá, pon la cabeza en los cojines, dobla las piernas y enséñame la grupa, quiero hacer más bocetos.

Se acercó a mí para corregir mi posición y sus dedos se entretuvieron en la raja de mis nalgas, provocando que me estremeciera de nuevo. Y luego, una vez más, se alejó y continuó con sus bocetos. La sesión de posado duró lo que pareció una eternidad:

- Ya está bien, es suficiente por hoy, ven a ver mi trabajo.

Había una veintena de dibujos, todos ellos muy finos, pero definitivamente eróticos, sobre todo la sesión en el sofá en la que se veía sobre todo mi culo. En cuanto al último boceto, era una obra de la imaginación: un monstruo barbudo que apuntaba con un enorme sexo delante de mi grupa ofrecida.

Mi Maestro me observaba, sonreí cuando vi el último dibujo. Sin decir nada, me abrazó, yo todavía completamente desnuda. Con mi cabeza boca abajo me besó durante mucho tiempo, abrí mi boca al máximo para que su lengua me penetrara profundamente. Sin apartarse de mis labios, acarició mi sexo, excitó la punta de mis pechos, yo palpitaba de excitación.

Y de repente me hizo arrodillarme y sacó su miembro, una impresionante polla con un glande grueso y turgente. Ni siquiera tuvo que forzarme, yo sabía lo que quería de mí. Estaba acostumbrada a chupar a mis compañeros, siempre estaba dispuesta, pero nunca había tenido una polla tan larga y gruesa en la boca. Me esforcé por satisfacer a mi Amo, excitando el glande, lamiendo el eje, mordisqueando la bursa. Me satisfizo oír sus gemidos de placer, cuando de repente se retiró:

- mi pequeña Ysan la chupas divinamente, pero quiero llevarte, vete al sofá.

- pero mi Amo nunca me han sodomizado, su enorme sexo me destrozará, por favor mi Amo tengo miedo!

- En primer lugar deja de llamarme Amo, ahora que soy tu amante tienes que llamarme cariño y luego no podía imaginar que un culito tan bonito fuera todavía virgen. No quiero hacerte sufrir, sino darte placer y llevarlo contigo, ve al sofá, ponte a lo perrito, te prepararé.

Obedecí. En un instante estaba desnudo a mi lado y admiré su poderosa musculatura, su pecho peludo y, por supuesto, su magnífico sexo erecto. Estaba a lo perrito, como había exigido. Empezó a cremar alrededor de mi ronda, introduciendo suavemente un dedo en mi ano, luego dos y después tres. Yo emitía pequeños gemidos de placer más que de dolor:

- Ya ves, Ysan, puedes manejar mis tres dedos, te aseguro que mi polla no es más grande, deberías ser capaz de tomarla sin ningún problema.

- sí, cariño, quiero satisfacerte, soy tuya, tómame ahora, ¡fóllame!

Sentí su glande apuntando a mi ojete y en un movimiento brutal se introdujo a la fuerza en mi arandela. Gritaba de dolor, mordiendo los cojines, pero estaba empalada, tenía que aguantar. Después de unos cuantos golpes violentos, mi Amo disminuyó su ritmo, quería hacer durar el placer, sin detener su vaivén logró pellizcar mis pechos y acariciar mi polla:

- Ya ves Ysan, te gusta mi polla, lo querías, zorrita. Me he follado tu culito y te ha gustado.

- oh! me duele, cariño, me duele, pero tú empiezas a darme placer. Mi culo está en llamas, cariño, fóllame. ¡Oh, sí! Siento tu polla hinchada, vas a descargar, me estoy viniendo, me estás follando bien, es bueno, es bueno!!!!!!

Entonces sentí el potente chorro de su semen invadiendo mi vientre y al mismo tiempo me descargué en su mano. Los dos nos desplomamos en el sofá, agotados por la violencia de nuestro acto sexual y yo muy magullado. Nos llevó un tiempo recuperarnos:

- Ysan, esta sesión me ha abierto el apetito, vamos a celebrar tu virginidad en un buen restaurante.

Mi maestro tenía la costumbre de ir a un restaurante del Barrio Latino. El propietario nos ofreció una mesa en un rincón discreto:

- ¿Quieres sentarte al lado del banco?

- No, prefiero que estemos cara a cara. Ysan, ponte en el banco, es más suave, debes estar magullado.

El jefe me miró y sonrió, me puse escarlata. Durante toda la comida hablamos de pintura, de cine, de música. Me fascinó mi Amante, mi Amo, me llevó de vuelta al coche. Por el camino conducía con una mano y la otra muy ocupada besándose conmigo. Una vez que llegamos, continuó, mi mano fue a su sexo, estaba empalmado:

- Ya ves, Ysan, cómo me siento, vamos a subir a tu casa, quiero llevarte antes de salir.

- —

- Pero cariño, es imposible, mi casera es muy estricta, no puedo recibir a nadie.

- —

- así que me la vas a chupar en el coche y quiero que te la tragues toda

Le costó un poco sacar su pene erecto del pantalón, yo estaba dispuesta a volver a dar placer a mi Amo. Esta vez no quería lamer y excitar toda la longitud de esta magnífica polla. Preferí mantener su glande en lo más profundo de mi garganta. Quería asegurarme de que podría soportarlo todo cuando llegara el momento, él me lo había impuesto. Pero su polla era tan grande que en el movimiento de ida y vuelta de mis labios no pude bajar mucho más allá del prepucio, a pesar de mis esfuerzos y a riesgo de ahogarme. Así que, sin renunciar a los movimientos de mis labios y mi lengua, con una mano masturbé su largo eje y con la otra le acaricié los testículos. Se corrió con mucha rapidez y violencia. Mi boca estaba llena de su semen caliente, acre y viscoso. Controlando mis arcadas, tardé varios tragos en tragarlo todo:

- Estuvo muy bien Ysan, te felicito. Chupas como una verdadera puta, das el culo como una perra en celo. Tienes mucho talento. Haré algo contigo, mi pequeño Ysan.

Mientras hablaba, sacó un paquete de la guantera:

- Esto es para ti Ysan. Lo que hay en este paquete tendrás que llevarlo todo el día de mañana. Tienes que venir a clase normalmente y a las cinco te espero en mi casa. Duerme bien ahora.

Me dio un largo beso, unas caricias en la punta de los pechos y se fue. Cuando llegué a casa abrí rápidamente el paquete, era un tapón de gran diámetro. Así que mañana tendría que llevar este instrumento de tortura en mi agujerito todo el día. Por el momento estaba agotado de este loco final de día, una ducha caliente, un poco de crema en mi ojal magullado y rápidamente me dormí pensando que mañana comenzaría una nueva vida para mí. Mi Amante, mi Maestro había dicho:

? mi pequeño Ysan eres un superdotado voy a hacer algo de ti

Capítulo II

En cuanto me desperté, recordé la loca tarde del día anterior. Dispuesta a partir hacia las bellas artes, no olvidé la orden de mi Amante, mi Maestro (véase el capítulo anterior). Todo el día tuve que llevar el tapón que me había dado. La intromisión fue dolorosa, el aparato era de gran diámetro y mi agujerito estaba bastante dolorido por la depucación del día anterior. En la calle, me sorprendí a mí misma caminando y moviendo las nalgas, el plug me estaba excitando definitivamente.

En el taller, y en contra de su costumbre, mi profesor ya no se interesaba por mí, salvo a media tarde, cuando me llamaba desde el fondo del aula:

- Ysan, desde esta mañana estás de pie, te duele el trasero? siéntate, podrás dibujar mejor.

Me puse escarlata, convencida de que todos mis compañeros habían comprendido lo que llevaba, plantado en mis cimientos.

Terminadas las clases del día, a las cinco en punto llamé al timbre de mi amo con la exquisita ansiedad de una joven enamorada. Cuando se cerró la puerta principal, me acercó a él durante mucho tiempo en un profundo beso. Su lengua introduciéndose en mi boca fue el comienzo de las profundas penetraciones que me esperaban. Acariciando mis nalgas, me llevó al baño:

- Ysan, es la primera vez que vienes a mi casa, voy a explicarte lo que tendrás que hacer por tu cuenta en el futuro. Quítate la ropa!

Como el día anterior, me encontré completamente desnuda y temblando ante mi Amo:

- Primero te voy a enseñar a esconder tu colita que es incompatible con el traje que vas a llevar y con tu papel de putita.

Había una razón para mi aspecto tan afeminado, mi falta de sistema capilar. Yo era una anomalía de la naturaleza, bajo mi pene no había ni bursas ni testículos, estaba hecho así. Así que mi Amo no tuvo ningún problema en doblar mi pequeña polla en la entrepierna y asegurarla con un cuadrado de tela adhesiva. Al no tener vello púbico, era difícil saber si era un chico o una chica.

- Ahora Ysan vas a prepararte. Aquí tienes un lavabo, porque quiero que estés muy limpia, ropa, zapatos, joyas, lápiz de labios, perfume. Tómate tu tiempo, cuando estés preparada puedes venir y reunirte conmigo en la sala de estar.

Por primera vez, mi Amante, me llamó en femenino. Ya solo, empecé con el enema. La cánula era de gran diámetro, pero nada que ver con el tapón que había soportado todo el día. Los cálidos y potentes chorros que enviaba a mi vientre me producían sensaciones muy agradables. Lo hice varias veces para ser muy limpio, pero también para mi propio placer, debo admitir.

Luego llegó el momento de vestirme: medias de rejilla, cinturón ancho, liguero de raso negro, negligé negro largo completamente transparente, tacones de aguja. Las joyas eran de oro: collar, pulseras, pendientes de clip y pinzas para el pecho con los mismos motivos. La aplicación de las pinzas fue dolorosa, pero rápidamente el dolor se convirtió en placer. Un poco de lápiz de labios, el perfume, un cepillado de mi pelo y me miré en el espejo.

Ayer era Ysan, un estudiante de arte, un chico muy afeminado, pero un chico al fin y al cabo. Hoy, por la magia de mi Amo, soy una putita cachonda deseosa de ser montada por el coloso barbudo que la espera en el salón. Había llegado el momento de presentarme ante él.

Para mi sorpresa, llevaba traje y corbata, estaba sentado en un sillón y bebía un whisky. Una larga fusta de cuero marrón yacía descuidadamente sobre la mesa de café. Me observó durante mucho tiempo, yo permanecí inmóvil ante él:

- Me gustas mucho Ysan con tu traje de puta. Ahora tienes que aprender a caminar lentamente, con el lomo bien arqueado y la grupa ondulada. Camina de un lado a otro de la habitación.

Al pasar por delante de él, el látigo chasqueó en mis nalgas para hacerme mejorar mi posición. Entonces me di cuenta de que mi entrenamiento había comenzado. Luego me hizo quitarme el picardías, con las manos en la nuca, tuve que simular una danza del vientre presentándole mi culo. El látigo se rompería si mis movimientos no fueran lo suficientemente lascivos. Al final me cogió en su regazo para besarme largamente y acariciarme. Estaba en trance cuando me hizo arrodillarme para chupar su bello sexo, me esforcé al máximo, como el día anterior:

- Ysan chupas divinamente, pero entiendo que quieres que te tomen, ven a la habitación que te voy a sodomizar.

- Sí, cariño, quiero ser toda tuya.

Yo también empezaba a llamarme mujer. Caminé lentamente hacia el dormitorio, ondulando mi grupa como una auténtica puta. Me estaba siguiendo y debía de disfrutar con ello. No tardó en desnudarse, ponerme boca abajo en la cama y follarme salvajemente. Vinimos juntos, como el día anterior:

- Eso estuvo muy bien Ysan, ya eres una gran amante, tomas muy bien mi gran polla. Vamos a cenar ahora, pero esta noche dormirás conmigo.

Al pasar mi primera noche en los brazos de mi Amante, esta perspectiva me puso en trance (era su esposa). Al volver del restaurante me desnudé por completo sin esperar a que me lo pidiera. Me estaba mirando:

- Ysan, no quiero verte más con tu pésima ropa interior. Te tomaré las medidas y mañana te compraré una ropa interior digna de ti. Para esta noche creo que tengo algo que te vendrá bien.

Me tomó las medidas y luego se dirigió a un cajón para sacar un precioso camisón rosa de baby doll con adornos de encaje. Me puse apresuradamente la ropa interior de esta chica y fingí estar guapa delante de él. Sin esperar su petición me arrodillé, le saqué la polla y empecé a chupársela:

- Estás en celo Ysan, pequeña viciosa, aún necesitas que te follen para calmarte. Ve al baño y desata tu pequeña polla, quiero verla y que te den un buen enema. Te enseñaré otra posición para dar el culo.

Cuando volví estaba desnudo. Estaba un poco ansiosa por no saber qué esperar. Me hizo tumbarme de espaldas, deslizó un cojín bajo mis nalgas y me pidió que separara bien las piernas. Al arrodillarse frente a mí, su sexo quedó así frente a mi agujerito. Por lo demás, ya me había acostumbrado: un dolor agudo cuando el carnoso glande me obliga a redondear y luego un placer intenso cuando el miembro de cal se clava en mi trasero. Pero había nuevos placeres para mí: veía a mi amante, lo descubría dándose placer, podía besarme, amasar y morder mis pechos, su vientre se frotaba en mi polla. Mi disfrute era total, seguía emitiendo pequeños gemidos de placer. Cuando descargó sentí el potente chorro en mi vientre, pero esta vez no eyaculé, tuve un violento orgasmo como una mujer.

Pronto nos quedamos dormidos, pero en medio de la noche le provoqué; volvió a follarme y tuve otro orgasmo femenino. En poco más de veinticuatro horas había hecho que mi Amo se corriera cinco veces, cuatro en el culo y una en la boca. Podría estar -orgullosa- mejor dicho -orgullosa- de mí misma. Mi entrenamiento había empezado bien, pero me esperaban muchas aventuras.

Capítulo III

Un poco cansados de esta loca noche de amor, a primera hora de la mañana salimos juntos hacia las bellas artes. En la esquina de una calle me besó durante mucho tiempo:

- Ysan, esta noche irás a casa a descansar bien, debes estar un poco cansado. Mañana es viernes, estate en mi casa a las cinco, como ayer, pasaremos todo el fin de semana juntos.

- Tú decides, querida, mañana a las cinco estaré allí. Te quiero

Me puse de puntillas para cogerle por el cuello y besarle en la boca en plena calle. Entramos en la escuela por diferentes puertas.

Esa noche, a solas en mi habitación de estudiante, medí lo lejos que había llegado en muy poco tiempo. Hace dos días mi culito era todavía virgen. Ahora mi Maestro se ha convertido en mi Amante. Sin demora, emprendió mi educación amorosa, mi feminización, mi adiestramiento: humillación verbal -zorra, zorra, putita en calor-, obligación de llevar lencería femenina especialmente erótica, corridas de dolor, pinzas en los pechos, golpes de látigo, su glande forzando mi ojete sin piedad. En una sumisión exquisita sufrí todos estos abusos con deleite. Así es mi naturaleza. Estoy deseando que llegue el fin de semana que pasaremos juntos.

El viernes a las cinco en punto llamé a su timbre con la deliciosa ansiedad de una joven virgen que va a su primera cita. Mi amante me estaba esperando. Estaba desnudo bajo un elegante kimono. Cuando me abrazó sentí su pene erecto, no pude evitar acariciarlo. Me moría de ganas de arrodillarme y tomar ese magnífico sexo en mi boca, pero me contuve:

- Tengo que ir al baño, cariño.

- Bien, Ysan, has aprendido mi lección. Te he comprado la ropa interior que ahora tendrás que llevar siempre. Puedes elegir por esta noche, pero cuando vengas a traer a los demás, quiero que te los pruebes todos delante de mí. Te espero en el salón.

En el cuarto de baño encontré un surtido de tangas, bóxers, camisolas y camisones en negro, blanco, rojo e incluso rosa. También había sujetadores de color beige con liga adhesiva, joyas y los zapatos de tacón de aguja que había llevado el día anterior.

Rápidamente me desnudé, primero me metí la polla en la entrepierna y empecé a correrme mientras me ponía el enema (ver capítulo anterior).

Tras ponerme las medias, elegí entre la lencería el conjunto que me parecía más femenino: un tanga de seda rosa y un camisón muy corto a juego con tirantes finos. Esta vez, las joyas estaban hechas de piedras semipreciosas. Los grandes cabujones de las pinzas de los pechos apuntaban bajo mi camisón, sugiriendo que tenía un pecho de niña. Peinada y perfumada, me admiré durante un largo rato en el espejo antes de caminar hacia el salón con mi surtido de lencería bajo el brazo.

Mi Amante, sentado en un sillón, daba un sorbo a su whisky, con la fusta en la mano. Empecé a moverme hacia delante y hacia atrás lentamente, con mis lomos bien arqueados mientras ondulaba mi grupa. Parecía satisfecho. Yo, ya muy excitada por el agudo dolor de las pinzas de los pechos, ahora tenía que soportar el látigo. Me detuve frente a él, levantando mi camisón para presentarle mejor mi culo:

- pero es el látigo lo que quieres, zorrita, eres aún más vicioso de lo que pensaba.

- Sí, cariño, hazme sufrir, hazme todo, el dolor me excita

Los golpes empezaron a llegar, yo era mujer y sumisa, me entregué por completo a mi macho. Entonces podría comenzar el desfile de lencería. A las órdenes de mi Amante tuve que quitarme un tanga y sustituirlo por un bóxer ajustado, quitarme un camisón y ponerme una camisola que no me cubriera las nalgas. Pasé y volví a pasar delante de él siempre ondulando mi grupa. Hizo comentarios a menudo elogiosos, a veces burlones. Este manoseo erótico duró mucho tiempo, pero al notar que se acariciaba la polla, quise arrodillarme entre sus piernas para azucararlo. Me empujó:

- No Ysan, no te la chupes, te deseo demasiado, me voy a correr ahora mismo. Quiero que mi placer sea duradero, quítate las bragas y ponte a lo perrito en el borde del sofá, que te van a follar.

Caminando hacia el sofá me di cuenta de que mi Amante llevaba dos días sin sodomizarme y en esos dos días no había puesto el enchufe. Mi arandela se había apretado sin duda, iba a sufrir como en la noche de mi virginidad (véase el capítulo I). Aunque con pánico, acepté el puesto de todos modos:

- Me temo, cariño, que llevas dos días sin cogerme y no se me ha ocurrido ponerte el tapón, eres enorme, me vas a destrozar.

- —

- que mal por ti, pequeña perra! Sólo tenías que pensar en ello.

- Te pido perdón, cariño, tienes razón, soy un coño, fóllame, date el gusto

Estaba de pie detrás de mí, con su glande apuntando a mi ojo. Agarrándome firmemente por las caderas, sin moverse me tiró violentamente hacia él y me empaló en su pene. Mediante los movimientos lentos o rápidos que hacía en mi grupa, podía modular su placer. Con cada penetración profunda, mis nalgas, calentadas por el látigo, se frotaban contra su vientre. Podía sentir su pene hinchándose bajo la presión de su semilla, mi placer en el dolor era intenso. Cuando eyaculó violentamente en mi vientre, todo mi cuerpo se vio sacudido por escalofríos y espasmos, seguidos de un profundo alivio. Sin eyacular, me había corrido intensamente, una vez más había tenido un orgasmo de mujer.

Calmado y saciado, mi Amante había recuperado toda su amabilidad y cortesía habituales. Me había vuelto a poner el camisón rosa y me ponía guapa delante de él. Había tenido un orgasmo de mujer, hablaba de mí como mujer, mi transformación era completa. Mi amante podía estar satisfecho con la educación amorosa que me daba. Tomamos el té juntos y luego decidimos terminar la velada en el cine.

La película carecía de interés, pero cómodamente instalada en las butacas mi Amante me besó y me manoseó cariñosamente, me dejé hacer, estaba empalmado:

- Ysan me excitas, te sigo deseando, me vas a hacer una mamada.

- pero cariño, aquí no me atrevo, vamos al coche.

- Ysan, no te hagas el remolón, es una orden

- no me regañes, te obedezco mi amor

Al agacharme, vi en la misma fila de sillas, muy cerca, a una joven arrodillada entre las piernas de un hombre y a punto de realizar la misma tarea. Fue esta pareja la que, sin duda, le dio la idea a mi Amante. Al verme, la joven guiñó un ojo y sonrió con complicidad, sin duda no tenía ni idea de que yo era un chico. Hemos bombeado a nuestros dos chicos a tiempo. La suya se corrió primero, la mía, bajo su aire impasible, hizo durar el placer. Podía sentir el jugo bajo mis labios mientras subía en su polla y la hacía hincharse. Finalmente descargó violentamente, me lo llevé todo a la boca y como la primera noche (ver capítulo I) superando mi vértigo me tragué su caliente y pegajoso semen.

Cuando salimos del cine, mi Amante estaba relajado y feliz. Fuimos a cenar a una gran brasserie:

- Tómate un whisky Ysan, debes tener la boca pastosa.

Una vez más me puse roja y, como siempre, mi Amante, mi Amo, pidió el menú sin preguntarme.

Cuando volvimos a casa a última hora de la tarde, estaba tranquilo y sereno. Cuando nos desnudamos pude comprobar que mi desnudez dejaba indiferente a su polla. Yo, en cambio, estaba en un estado de intensa excitación. Para confundirlo me puse el camisón de muñequita que le gustaba y no aguantando más el deseo le rogué:

- cariño, esta noche te has corrido dos veces, en mi culo, en mi boca. Me diste un placer loco cuando tuve un orgasmo de chica, pero hace tres días que no me corro, no puedo más. Te lo ruego, amor mío, haz algo por mí o permíteme que me masturbe.

- Quieres tenerlo todo Ysan, venir como una chica y además como un chico. Eres una viciosa, pero no voy a dejarte en este estado, no podrás dormir esta noche.

Se dirigió al mando y rebuscando en un cajón sacó un enorme consolador. Rápidamente vi que el aparato era aún más grande y largo que la polla de mi Amante.

- Crema tu agujerito y mete ese consolador hasta el fondo, es un vibrador, el botón está en el extremo. Ponte a cuatro patas, estarás más abierta para meterla y luego puedes venir a sentarte en mi regazo. El consolador es lo suficientemente largo como para que no sobresalga.

Humillada, pero sumisa, me puse a cuatro patas sobre la alfombra. Con el dolor pude introducirme en esta enorme máquina cuyas intensas vibraciones reverberaban por todo mi cuerpo. Entonces, obedeciendo las órdenes de mi Amante, me senté en su regazo con una mano masturbando mi pequeña polla, con la otra me manoseó los pechos mientras su lengua buscaba mi boca en profundos besos. Llegué muy rápido.

- Gracias cariño por darme tanto placer, quiero ser tu mujer, tu esclava sumisa.

- Ese es el programa de mañana. El sábado no hay clases de arte, iremos a casa de una amiga que tiene una gran tienda de ropa. Quiero comprarte ropa que se ajuste a tu verdadera naturaleza. También he concertado una cita con un médico amigo, él tiene soluciones para desarrollar tu feminidad como deseas. Duerme bien ahora mi amor.

Capítulo IV

Agotada por nuestros múltiples placeres de la noche, me dormí rápidamente en los brazos de mi Amante. A la mañana siguiente, cuando me desperté, era sábado, me contó el programa del día. Al final de la mañana teníamos una cita en unos grandes almacenes para elegir la ropa que correspondía a mi verdadera naturaleza y por la tarde íbamos a ver a un médico que tenía soluciones para desarrollar mi feminidad.

Estas oscuras palabras me preocuparon un poco, sobre todo porque desde el día anterior sabía que en el futuro tendría que llevar siempre ropa interior de mujer y ahora disponía de una pequeña reserva de ella (véase el capítulo anterior). Mi Amante estaba especialmente tranquilo y relajado. Entró en el baño mientras yo estaba en la ducha. Estaba desnudo, pero su polla no mostraba ningún signo de erección. Todavía en la ducha, le provoqué presentando mi grupa, ondulando mis caderas, acariciando mis pechos.

No tardó en empalmarse, me sentí orgulloso de haberle excitado. Estaba a punto de ponerme una bata y llevarle a nuestra habitación, pero no me dejó. Sin mediar palabra, me abordó boca abajo contra la pared y se apretó contra mí. Afortunadamente, me había puesto la lavativa antes de la ducha y me había puesto crema en el agujerito. Me iban a follar en esta incómoda posición. Como una putita en celo, arqueé la espalda para ofrecerle mejor mis nalgas y facilitar su intromisión. Sabía que iba a sufrir, pero no importaba, deseaba demasiado su polla.

De un solo y poderoso empujón me ensartó hasta la empuñadura. Grité de dolor, pero pronto mis gritos se convirtieron en gemidos de placer que se mezclaron con los rugidos de su clímax. Me amasó furiosamente los pechos y me mordió violentamente en el cuello. Con cada uno de sus empujones me levantaba. Mis pies ya no tocaban el suelo, presionados contra la pared, sólo podía mantenerme erguido sobre esta enorme polla. Yo, con mi físico tan femenino, frágil y pequeño, no imaginaba que pudiera encontrar mi placer en asaltos tan potentes y dolorosos y, sin embargo, cuando se vació en mi vientre todo mi cuerpo fue atravesado por violentos espasmos, una vez más tuve un orgasmo de niña.

Cuando recuperamos la compostura, yo estaba deliciosamente magullada, mi Amante estaba agotado y, sin embargo, no teníamos tiempo que perder para llegar a la tienda de ropa antes del mediodía.

- Vístete rápido Ysan, no tenemos tiempo que perder. Ponte los calzoncillos y la camisola de seda rosa, unos vaqueros, una camiseta y unos zapatos negros.

Desde el día anterior sabía que sólo debía llevar ropa interior de mujer, pero las zapatillas me sorprendieron más, hasta entonces sólo las había llevado en privado, para excitar y encantar a mi Amante. Pero obedecí sin decir una palabra.

Llegamos a nuestro destino a última hora de la mañana. Los propietarios del lugar nos esperaban en la puerta. Eran dos hombres muy elegantes y corteses, uno tenía unos cuarenta años y el otro parecía mucho más joven. Mi Amante los conocía desde hacía mucho tiempo, me había explicado que eran pareja. En cuanto llegamos, cerraron la tienda para poder atendernos con tranquilidad. La tienda era grande, cómoda y bien surtida, pero pronto me di cuenta de que sólo había ropa de mujer. Tras intercambiar saludos, mi Amante empezó a hojear las estanterías, haciendo una primera elección y comprendí que no tenía nada que decir al respecto. Esperé pacientemente hasta que me pidió que me desnudara para las pruebas. Estaba a punto de dirigirme al vestuario:

- Por favor, Ysan, sin falsa modestia, desvístete aquí, quiero que mis amigos te vean y me aconsejen.

Obedecí, sonrojada. Me quité la camiseta y los vaqueros, me puse las zapatillas y me encontré de pie, en bragas rosas y camisola, delante de esos dos hombres que apenas conocía. Me estaban midiendo, era un animalito encantador para ellos, una muñeca a la que se iban a divertir vistiendo y los comentarios dirigidos a mi Amante no se hicieron esperar:

- querido amigo, enhorabuena, has encontrado un efebo andrógino de rara belleza. Debe saber que este pequeño Ysan es soberbio.

- A pesar de su pequeño tamaño, tiene unas piernas largas admirables, el arco de sus lomos, la redondez de su grupa son perfectos, podrá llevar pantalones muy ajustados, estilo corsario por ejemplo, con gran elegancia.

- —

- y qué textura de piel tan admirable, sin vello, un cuerpo hecho para ser acariciado. Las camisetas pequeñas de tirantes finos que has elegido resaltarán la gracia de sus hombros, la delicadeza de su cuello, pero tendremos que coser pechos falsos por dentro para que la armonía sea perfecta.

- —

- Inútil, amigos míos, me he comprado unos pechos falsos muy ingeniosos que se sujetan con una pinza interior para los pechos. Esto le hará sufrir un poco, pero ella quiere al pequeño vicioso

Así que la adaptación continuó durante mucho tiempo. Los dos vendedores daban vueltas a mi alrededor, cualquier excusa era buena para acariciar mis nalgas o mis pechos. Mi impasible Maestro miraba y elegía: pantalones, blusas, chaquetas y abrigos, zapatos de salón y botas, e incluso dos minifaldas que aparentemente... me quedaban muy bien... Me preguntaba para qué podría ponérmelas.

En respuesta a una pregunta de mi Maestro, me contestaron que todo lo que tenían en cuanto a lencería eran camisones y negligés:

- si Ysan quiere venir al pequeño salón, le dejaremos probarse algunos modelos muy encantadores.

- —

- Ysan, para probarte la lencería quítate la camisola y las bragas.

- —

- querida, ¿quieres que esté completamente desnuda delante de estos señores?

- —

- Ysan esto es una orden!

Sonrojada, accedí. El vendedor más joven estaba muy interesado en mi zona púbica sin vello e intentaba averiguar cómo escondía mi colita en la entrepierna. Me hizo probar un precioso camisón con volantes y encaje, que llegaba hasta el suelo pero tenía una abertura hasta la cintura. Me puse el picardías a juego y las mulas con tacones de vértigo.

Agitaba mi grupa de un lado a otro, exhibiéndose ante estos tres hombres que, evidentemente, estaban muy excitados por mi atuendo erótico. Mi Maestro eligió el traje rojo que yo llevaba y otro negro idéntico. Terminada la compra, se acercó a mí y me obligó a agacharme, estaba en un equilibrio inestable con las manos apoyadas en una silla. Con un gesto repentino me levantó el largo camisón, ofreciendo mi trasero desnudo para que todos lo vieran:

- Amigos míos, Ysan lo ha hecho todo para excitaros, ahora le toca a él satisfaceros, su culito y su boca están a vuestra disposición, me voy a fumar un cigarrillo fuera.

Entonces mi Amante me ofreció a sus amigos. Por primera vez me iban a follar otros hombres que no fueran él. En la posición en la que me encontraba ni siquiera me di cuenta de que el hombre mayor había sacado inmediatamente su polla. Sentí su glande apuntando a mi pene. La penetración fue indolora, tuvo un sexo muy modesto comparado con el que ahora estaba acostumbrado a tomar. Mi sodomizador acompañaba su regular ida y vuelta con fuertes jadeos. Me satisfacía sentir que se excitaba, pero para mí el placer no era intenso, nada que ver con mi doloroso orgasmo de la mañana en el baño bajo los golpes de mi Amante, mi Amo.

El más pequeño nos miraba, pero su emoción era tal que no podía esperar su turno. Tenía una polla muy pequeña, comparable a la mía. Me la metió en la boca y la empujó hasta el fondo sin que me atragantara. Lo chupé obedientemente, y él gimió de placer. En la incómoda posición en la que me encontraba, los dos amigos estaban frente a frente, hablando entre ellos, comentando su placer. Yo sólo era un objeto sexual a su disposición. Se descargaron con una sincronización perfecta y me lo tragué todo. Cuando mi Maestro entró, le dieron las gracias a él y no a mí.

Ahora tenía que vestirme. Los tres estuvieron de acuerdo en que, con toda la ropa que había comprado mi amo, era imposible que saliera de la tienda como un niño. Me di cuenta de que por primera vez iba a tener que pasear por la ciudad vestida de chica. La discusión se alargó sobre la elección de mi atuendo, finalmente se optó por un pantalón muy ajustado de lino crudo que? resaltaba mi grupa? una blusa de seda y volantes que? disimulaba mi falta de pechos? un cinturón ancho de cuero color canela para? acentuar el arco de mis lomos? unos zapatos de tacón de aguja a juego y para rematar una chaqueta de ante. Me ataron un pañuelo de colores alrededor del cuello para ocultar las picaduras de la mañana. Por último, se divirtieron mucho maquillándome los ojos y los labios, y me regalaron unos pendientes: dos grandes anillos de gitana. Al mirarme en el espejo, pensé que estaba muy guapa y mi Amante parecía encantado con mi transformación.

El vestuario de mi chica llenaba el maletero del coche, pero no estaba todo. Algunas de las prendas necesitaban arreglos, y se concertó una cita para el sábado siguiente. Era la hora de comer y mi Amante me llevó a una gran brasserie del barrio. Había mucha gente, y mientras caminaba por la sala, ondulando mis caderas discretamente, pude ver que todos los hombres me seguían con la mirada. Empezaba a darme cuenta de mi poder de seducción.

Según su fórmula habitual, que tenía el don de exasperarme, mi Amante me aconsejó que tomara un whisky, ya que debía tener la boca pastosa. Después de pedir la comida, me habló largo y tendido:

- Ysan, has visto que todos los hombres son sensibles a tu encanto, pero tu nombre ya no es apropiado para tu nueva vida. He decidido que a partir de ahora te llamarás Florencia y te exijo que siempre hables de ti en femenino.

- —

- Querida, el nombre que has elegido me gusta mucho, en privado me llamarás Flo, me encanta. Ahora soy tu señora sumisa y estoy encantada, pero me es imposible volver a las bellas artes. Quiero llevar ropa interior de mujer, pero vestida completamente de chica, es imposible

- —

- Efectivamente, aquí hay un pequeño problema. Todavía queda un trimestre y no quiero que pierdas tu último año y tu diploma. Por el momento es el comienzo de las vacaciones de Semana Santa, te quedas conmigo, luego durante el último trimestre estarás en Ysan durante la semana y en Florencia el fin de semana. Entonces viviremos juntos, lo prometo.

Así lo decidió mi Amo, sólo tuve que obedecer. La comida continuó en una fascinante conversación sobre arte. Bebí en sus palabras, pero todavía había una cita importante para la tarde con este misterioso médico.

Llegamos a la hora indicada, sólo estábamos nosotros en la sala de espera. No nos hizo esperar. El médico era un hombre alto, delgado, elegante y con clase, de unos cincuenta años:

- Hola querido amigo, me alegro de verte, este es el joven Ysan del que me hablaste.

- —

- Lo siento, doctor, pero ya no me llamo Ysan, mi Maestro ha decidido que ahora soy Florence.

- —

- Tu maestro tenía razón, este es un nombre que se adapta perfectamente a tu naturaleza encantadora. Por favor, desnuda a Florencia para que pueda examinarte.

Mi confusión era grande ante la idea de estar desnuda delante de un hombre tan guapo que me impresionaba. Se quitó rápidamente los pantalones y la blusa de lino. Volví a ponerme las zapatillas y me quedé en ropa interior de seda rosa. Pude ver que el médico no era indiferente a mi encanto, pero su respuesta fue tajante:

- Eres muy guapa, Florence, pero esto no es un concurso de belleza, quiero examinarte, quitarte la ropa por completo.

Me puse rojo y lo hice rápidamente. Sólo había conservado el pañuelo multicolor atado al cuello. Se acercó a mí y me desató el pañuelo que ocultaba las picaduras de la mañana:

- Oh, Florencia fuiste tratada severamente por tu amo, ¿merecías un castigo?

- —

- no médico, era yo quien le había excitado y me tomó violentamente.

- —

- Es interesante lo que dices aquí, cuéntame más sobre ello.

- —

- pero doctor no me atrevo.

- —

- Florence, soy tu médico, necesito saberlo todo sobre ti. Tu maestro está aquí para comprobar si dices la verdad, ¡habla!

- —

- Estaba en la ducha cuando mi amo entró desnudo en el baño. Quería excitarle acariciando mis nalgas delante de él. El resultado fue convincente, me puso boca arriba contra la pared y me cogió violentamente. Sus empujones me levantaron del suelo, me pellizcó los pechos, me mordió el cuello. Mi orgasmo fue doloroso, pero todo mi cuerpo sufrió espasmos y tuve un orgasmo mientras se vaciaba en mi vientre.

- —

- Todo esto es muy interesante, Florence, pero esta posición era especialmente incómoda para tu amante.

- —

- Arqueé la espalda todo lo posible para presentar las nalgas al nivel adecuado.

- —

- No es suficiente Florencia, tenías que coger su pene con la mano y dirigirlo a tu ano. Piensa en ello en el futuro.

Mientras hablaba, el médico había metido la mano en mi entrepierna y despegó suavemente el adhesivo que mantenía mi pequeña polla en su sitio, no pude contenerme, tuve una erección:

- Encontraremos otra forma de ocultar tu precioso sexo, Florence, ese adhesivo te irritará la piel, sería una pena. También observo que no tienes bursa ni testículos, ¿te has operado?

- —

- no médico con el que nací (capítulo II)

- —

- es aún mejor y ahora comprendo tu falta total de pelo, tu cintura delgada y la redondez femenina de tu grupa.

- —

Mientras hablaba, se acercó por detrás de mí y se apretó contra mi espalda. Podía sentir su sexo erecto en mis nalgas y me recordó el comportamiento de mi Maestro durante las clases de dibujo (capítulo I). Sus brazos pasaron por encima de mis hombros y empezó a palpar mis pechos, mientras hacía comentarios a mi Maestro:

- la predisposición de sus pechos es perfecta. Con el tratamiento hormonal, podemos darle pechos de niña. Tendrás que tomar tres pastillas cada mañana, Florence, y tendrás que venir a verme cada quince días para ajustar la dosis según la evolución. Ahora sube a la mesa de tratamiento, ponte a cuatro patas y preséntame tus nalgas.

Estaba muy excitada por estar en esta humillante posición de sumisión frente a este hombre tan guapo que me impresionaba. Se puso un guante, me penetró suavemente con dos dedos y me registró el trasero mientras hacía sus comentarios a mi amo:

- tiene un esfínter extraordinariamente flexible. Me has dicho que sólo le has quitado la virginidad hace quince días, y sé cómo os ha ido, así que debe de haberte sentido atravesar, pero no está nada desgarrada, ¡felicidades amigo! Voy a ponerle un retractor para ver hasta dónde puede llegar

A continuación, el médico introdujo una especie de copa de goma conectada a un inflador. Bajo la presión podía sentir cómo mi pequeña arandela se distendía cada vez más dolorosamente:

- ¡Por favor! ¡Por favor, doctor! Detenga este instrumento de tortura, no quiero que me destrocen.

- todavía llegamos al diámetro de seis. Florencia tienes mucha suerte, puedes llevar a los miembros más bellos sin ningún peligro. Para terminar, me gustaría saber exactamente qué forma de placer tienes, los espasmos que mencionas me sorprenden. Ami, ¿ves algún inconveniente en que la sodomice?

- Por favor, es tuyo. Voy a fumar un cigarrillo en el jardín.

Por segunda vez ese día, mi Amo me entregaba a otro hombre. Me iba a follar este médico que tanto me intimidaba. Se sentó detrás de su escritorio y se sacó la polla:

- Florencia viene a prepararme.

Su polla no era tan grande como la de mi amo, pero era sorprendentemente larga y ya estaba completamente erecta. Me arrodillé entre sus piernas, aplicándome bien a chupar su glande mientras acariciaba su largo eje con ambas manos. Parecía encantado:

- Así está bien, Florence, ahora ve de perrito al borde del sofá.

- —

Me apresuré a tomar la posición, se colocó detrás de mí y me penetró sin dolor pero después de registrar un poco mi agujero:

- Florencia era tu trabajo tomar mi sexo en la mano y guiarlo, no recordaste lo que te dije antes.

- —

- Lo siento, doctor.

Esta polla impresionantemente larga se clavaba en mi vientre, trinando, limándome al ritmo de mis gemidos. Cuando sentí los primeros espasmos del orgasmo, mi sodomizador, que me sujetaba firmemente por las caderas, supo activar los movimientos y esperar mis últimas sacudidas para descargar con violencia. Nunca había tenido un orgasmo tan completo. Esperó a que mi Maestro volviera antes de hacer estos comentarios:

- esta pequeña Florencia es increíble acaba de tener un orgasmo de mujer. Tienes mucha suerte amigo, es muy interesante para el compañero. Pero, ¿alguna vez eyacula?

- —

- Es muy viciosa, también le gusta que la masturbe mientras la sodomiza.

- —

- Todo esto es perfecto, le daré píldoras que tendrá que tomar cada mañana para desarrollar sus pechos y aún queda el pequeño problema de ocultar su sexo. Te sugiero que fijes este pequeño anillo elástico en su entrepierna con dos puntos de sutura.

- —

Después de que mi amo diera su consentimiento, tuve que tumbarme en la camilla, con las piernas abiertas, para someterme a la pequeña operación, que fue rápida y poco dolorosa. Me levanté con una venda en la entrepierna:

- Florencia volverás a verme dentro de ocho días, te quitaré los puntos y te enseñaré a arreglar tu pequeño sexo. Por el momento, queda descartado que vuelvas a ponerte los pantalones y las bragas muy ajustados, pues desplazarán el vendaje. Amigo, tenemos que encontrar otra solución.

- —

- No hay problema, esta mañana hemos ido de compras, cogeré una minifalda del coche.

- —

Esas minifaldas que compré por la mañana! No pensé que me pondría uno el mismo día y sin bragas. En el coche, el contacto directo de mis nalgas con el cuero del asiento me produjo una nueva excitación.

Cuando llegamos a casa, me dolía un poco. Mi Maestro quería que me fuera a la cama. Toda la noche me mimó como a un bebé. Suele ser muy estricto, pero nunca le había visto tan amable y atento. Durmió a mi lado, pero no me tocó en toda la noche.

Sabía que por la mañana tenía que ir a provincias para organizar una exposición de pintura durante las dos semanas de vacaciones de Semana Santa. Con mi venda en la entrepierna y la obligación de volver a ver al médico, me fue imposible acompañarle. Creyendo que estaba dormido, se levantó en silencio. Fui a reunirme con él en el cuarto de baño y me arrodillé para chuparlo cariñosamente. Se corrió muy rápidamente y me tragué su esperma sin la menor mordaza.

- Te llamaré todas las noches, pero ahora tengo que irme.

Así que durante quince días iba a vivir sola en el hermoso piso de mi Amante, mi Amo. Ya no era Ysan, era Florencia, una nueva vida comenzaba para mí.

Capítulo V

Durante quince días iba a vivir sola en este hermoso piso. Mi amante se marchó por la mañana temprano, y el primer día transcurrió con gran despreocupación. Ni siquiera tenía ganas de vestirme. Permanecí desnuda bajo el largo camisón de encaje rojo que había comprado el día anterior. Cada vez que pasaba por delante de un espejo, encaramada a mis mulas de tacón de aguja, pensaba que era hermosa.

Entonces, buscando en la biblioteca, descubrí una novela erótica que no conocía: HISTOIRE D'O. La devoré, releyendo algunos capítulos varias veces. Lo devoré, releyendo algunos capítulos varias veces. Me vi en el internado de Roissy, en medio de todas esas jóvenes sometidas a una severa educación en completa sumisión:

? Llevar el corsé de cuero que sofoca pero afina la cintura. Aceptar los anillos sin quejarse, lo que me recordó la sesión de ayer con el médico (capítulo anterior). Ir al refectorio con un enorme tapón clavado en las nalgas como castigo, sin poder sentarme, obligada a comer de rodillas, humillación total delante de mis compañeros. Encerrado en una celda, gritando de dolor por los latigazos de un asqueroso sirviente. ¿Bajar al salón completamente desnudo, ser tocado por extraños altivos y dominantes sin derecho a hablar, ser tomado como un perro delante de todos?

Al final de mi lectura me encontraba en un estado de intensa excitación. Me he masturbado. Por la noche se lo conté todo a mi amante por teléfono y quedó encantado.

Mis días de soledad pasaron con despreocupación. Las hormonas que había estado tomando cada mañana empezaban a hacer efecto. Las puntas de mis pechos se volvieron turgentes y dolorosas y pude sentir cómo se hinchaban mis pechos. Todas las mañanas me ponía la lavativa, quería estar impecable por si mi Amante llegaba de improviso. Todos los días llevaba el tapón durante al menos una hora para evitar que mi ojito se apretara, no quería volver a pasar por el dolor que había soportado el día de mi virginidad (capítulo I).

Tras volver a vestirme la entrepierna, la pequeña incisión ya estaba curada, ahora podía ponerme bragas y pantalones. Al tercer día decidí vestirme y salir. Por primera vez iba a pasear sola con mi nueva apariencia, ahora era una chica. Mi siempre generoso Amante me había dejado mucho dinero. Me di el gusto de hacer algunas compras femeninas, zapatos, cinturón, bolso. Fui a un restaurante y luego al cine. Varios hombres intentaron ligar conmigo, lo cual me enorgullecía, pero sabía que no debía ceder. Tuve que esperar hasta el sábado, cuando tenía una cita con el médico y los vendedores de ropa, y allí tuve órdenes de mi Amante, mi Amo, de aceptar todo de ellos.

Por fin llegó el tan esperado sábado. Era primavera, el tiempo era muy agradable. Tras muchas dudas sobre mi atuendo, finalmente decidí ponerme un tanga negro de encaje, unos pantalones ajustados, una blusa de seda que dejaba ver mis incipientes pechos y, por supuesto, mis tacones de aguja.

Cuando llegué al médico la sala de espera estaba llena, me recibió sin hacerme esperar demasiado, siempre tan cortés:

- Hola Florencia, ¿cómo estás? Espero que mi pequeña operación del sábado pasado no te haya causado mucho dolor. Te antepongo a mis otros pacientes, debes estar deseando deshacerte de esa venda que te obstruye la entrepierna. Por favor, desvístete y túmbate en la mesa de tratamiento.

- Gracias doctor, pero en realidad sólo sufrí un poco el primer día. El único problema era que no podía llevar bragas ni pantalones y no me atrevía a salir sola con una minifalda sin nada debajo.

- Tenías que atreverte con Florencia, seguro que tu Maestro te lo habría ordenado si hubiera estado allí.

Mientras él hablaba, yo me había desnudado y estaba tumbada en la camilla con las piernas abiertas. Sólo sentí un ligero cosquilleo cuando me quitó los puntos.

- Es perfecto y ahora ves que con una mano abres el anillo, con la otra metes la polla pequeña y el anillo se aprieta detrás del glande, como acabo de hacer yo. Puedes levantarte Florencia y mirarte en el espejo, eres una chica.

- Oh, gracias, doctor, ahora puedo ponerme un traje de baño y salir en minifalda sin bragas si mi amo me lo pide.

- Veo que tus pechos están empezando a crecer, Florence, y el tratamiento parece estar funcionando. Por desgracia, no tengo tiempo para examinarte con detalle y atenderte esta mañana, hay demasiados clientes esperando. Vuelve el próximo miércoles a las cinco y estaremos en paz.

Me fui un poco decepcionada, tenía muchas ganas de que me follara de nuevo este hombre tan guapo que me impresionaba. Como consuelo, tenía una cita para una prueba con los vendedores de prêt-à-porter.

Cuando llegué a la tienda, los dos amigos estaban allí. Como me había explicado mi Amante, vivían en pareja. Pedro el mayor era el activo, Gerald el mucho más joven era el pasivo. Había muchas clientas en la tienda y pronto me di cuenta de que también aquí me esperaba una decepción. No pudieron... atenderme... como el sábado pasado. Gerald me llevó a un probador donde me desnudé delante de él. Le pareció encantador mi pequeño tanga negro, pero me lo quité, queriendo enseñarle el anillo que sujetaba mi pequeña polla. Estaba asombrado y trajo a Pierre, que también estaba entusiasmado. Les expliqué que ya no era Ysan, sino Florencia, como había decidido mi Maestro. Su idea les pareció brillante. Las pruebas fueron rápidas, los arreglos perfectos, pero estos dos encantadores hombres me habían puesto en un estado de intensa excitación, lo entendieron bien, fue Pierre quien habló:

- Con toda esta gente qué pena Florencia que no podamos atenderte como la semana pasada, pero no podrás llevarte todos estos paquetes, los entregaremos nosotros esta noche.

- Excelente idea amigos, os espero esta noche para tomar un aperitivo.

Y me fui con la esperanza de una emocionante noche de amor. Rápidamente llamé por teléfono a mi Maestro para pedirle permiso para recibir a sus dos amigos. Estaba encantado y me impuso el atuendo que debía llevar para la ocasión: el largo picardías de encaje negro que les había comprado -les agradaría- y debajo sólo el liguero de raso negro de las veladas de "doma" (capítulo II), las medias negras y los zapatos de tacón.

A media tarde empecé a prepararme. Enema, un poco de crema alrededor de mi ojete, una pequeña sesión de tapones para estar bien abierta y luego me vestí. Esperé voluptuosamente antes de que me entregaran a esos dos hombres. Cuando llegaron me felicitaron por el erotismo de mi atuendo, estaba haciendo la bella delante de ellos. Mientras servía el aperitivo, Gerald se interesaba por mi pequeña polla atrapada en su anillo, mientras Pierre manoseaba mis incipientes pechos y pellizcaba mis puntas doloridas. Con el dolor, gemí de placer. No tardaron en desnudarse y, mientras tomaban el aperitivo, yo, de rodillas, pasé de una a otra para chuparlas.

No tardamos en dirigirnos al dormitorio y fue Pierre quien organizó nuestro acto sexual. Le pidió a Gerald que se tumbara en la cama y, tras liberar mi pequeña polla de su anillo, me puse encima de él de pies a cabeza. Así empezamos a bombearnos mutuamente. En esta posición, mi grupa bien arqueada dejaba mi agujerito abierto a quien quisiera tomarlo. Sin demora, Pierre me ensartó y con sus sacudidas dio ritmo a nuestro placer. Hicimos el placer de corrernos los tres al mismo tiempo. Mis amigos se fueron encantados pero yo me quedé un poco frustrada, echaba de menos la violencia de mi Amo, una sumisión a todas sus voluntades, el placer en el dolor y la humillación. Esa noche, por teléfono, le dije:

- Florencia te entiendo, estás hecha para encontrar tu placer en el sufrimiento. Mañana por la tarde te llamaré y allí tendrás que someterte a mi voluntad. Tendrás que esperar mi llamada completamente desnuda y no olvides preparar tu agujerito como si fuera a follarte. Duerme bien mi pequeña Florence y nos vemos por teléfono mañana a las ocho de la tarde.

Me pasé todo el día siguiente entre la excitación y la ansiedad. ¿Qué me iba a preguntar mi Maestro? A las ocho en punto estaba desnuda y jadeante, de pie en nuestra habitación esperando su llamada:

- Buenas noches Florencia, ¿estás preparada?

- sí, cariño, estaba esperando tu llamada

- Estoy deseando ver tu pequeña polla fijada en su anillo, y tus pechos han crecido bajo el efecto de las hormonas?

- si cariño, el resultado es genial ahora tengo unos pechos pequeños en forma de manzana y unos puntos turgentes muy sensibles.

- Florencia me excitas, quiero masturbarme cuando te oigo venir. Ve a buscar el consolador del cajón de la cómoda.

- Pero, cariño, es enorme, mucho más grande que la que me hiciste tomar la última vez. Nunca podría meter algo así en mi pequeño agujero.

- Florencia debes obedecerme, este consolador tiene seis de diámetro y recuerda lo que dijo el médico, puedes manejarlo. Ponte a cuatro patas sobre la alfombra!

- Sí, cariño, te obedezco, pero me duele, me duele mucho, no puedo forzar mi disco.

- Florencia insiste en que debes llegar y encender la vibración, quiero escucharla.

- oh si ha vuelto!! me duele mi amor pero vengo es bueno, es bueno!

- haz como yo Florencia, hazte una paja, vamos juntos.

- Ya voy, ya voy, cariño, voy a descargar

- Yo también estoy delicioso, Florence, estoy chorreando, imagínate tomando todo mi semen en tu boca.

Estaba agotada, magullada pero satisfecha, acabábamos de hacer el amor por teléfono. Mi Maestro estaba muy enamorado de mí.

Al día siguiente, el tan esperado miércoles, tenía una cita con el médico a última hora de la tarde. Pensé durante mucho tiempo en qué ponerme. Al final opté por unos calzoncillos de seda rosa con una camisola a juego, una minifalda y un top ajustado bajo el que se veían mis pequeños pechos, ahora bien formados. Encaramada a mis tacones de aguja, me parecía muy sexy. Deseaba absolutamente seducir a este hombre al que admiraba, quería que me follara como el día de mi primera visita.

Cuando llegué, no había nadie en la sala de espera. El médico me estaba esperando y me llevó a su despacho:

- Hola mi pequeña Florencia, cada vez estás más guapa y tu conjunto es especialmente emocionante.

- oh gracias doctor, me alegro de que te guste, fóllame ahora, tengo tantas ganas de sentir tu larga polla clavándose de nuevo en mi vientre.

- Florencia, este lenguaje soez está por debajo de ti, hablas como una prostituta de clase baja y no te corresponde pedir lo que te gustaría. Estás a disposición de tu amo y de los amantes que elija para ti. Sólo ellos deciden cómo utilizarte.

- Doctor, le ruego que me disculpe, en el futuro seré siempre muy sumisa y hablaré con propiedad.

- Tus disculpas no son suficientes, Florence, las niñas maleducadas y desobedientes deben ser castigadas. Quítate la ropa!

Había perdido mi hermosa confianza en mí misma y fue llorando cuando me quité la ropa. Él también se desnudó, desnudo era aún más hermoso. Se sentó en el sofá y con un gesto violento me atrajo sobre él, quedando yo tumbada sobre su regazo. Comprendí lo que me esperaba: los azotes. Sus grandes manos, auténticas batidoras, me golpeaban la grupa a gran velocidad. Lloraba, gemía, me ardían las nalgas:

- Florencia, escribiré hasta que me digas qué palabras hay que prohibir en tu idioma. Qué debes decir y cómo debes comportarte

- Lo he entendido bien doctor, no debo decir follar sino sodomizar, no debo pronunciar la palabra polla sino hablar de sexo, de pene o de polla. Y luego debo permanecer totalmente sumisa a los amantes que mi Amo elija para mí, ellos son los únicos que deciden sobre el uso de mi cuerpo. Por favor, doctor, ¡me arden las nalgas!

- Espero que lo entiendas, pero tu castigo no ha terminado. Querías tener mi larga vara en lo más profundo de tu ser y bueno, lo vas a tener pero no de la manera que querías.

Se levantó y me hizo arrodillar ante él, mi calvario no había terminado. En cuanto tuve su sexo en mi boca, con un violento empujón en mi cuello, lo introdujo profundamente en mi garganta. Tenía náuseas y me ahogaba. El movimiento de ida y vuelta que hacía en mi cabeza estaba empeorando mi dolor. Cuando se retiró, yo estaba al borde de la asfixia.

- Ahora Florence, ponte a lo perrito en el extremo del sofá y te sodomizaré porque me apetece.

Cuando se acercó a mí, tomé el eje de su sexo con la mano para dirigir su glande sobre mi ojete que esperaba esta penetración. No había olvidado sus reproches de la semana pasada (capítulo IV)

- Así es Florence, has aprendido la lección ahora vamos a corrernos juntos, el castigo ha terminado te has ganado un buen orgasmo.

Llegamos al unísono. Me dio un largo y profundo beso mientras me acariciaba los pechos. Quedó satisfecho con el tratamiento hormonal y se concertó una cita para la semana siguiente.

A pesar de mi trasero ardiente, quería ir de compras. Ahora sabía cómo comportarme como una mujer en las tiendas a la hora de elegir la ropa, los zapatos o la lencería. Hice tantas compras que tuve que coger un taxi para volver a casa. El conductor era un hombre gordo y asqueroso con un olor desagradable.

Cuando llegamos quiso llevar los paquetes al piso, pero en cuanto cruzamos el umbral cerró la puerta y se apretó contra mí para besarme:

- Ahora, señorita, me vas a pagar el pasaje muy bien.

- pero señor, no soy una chica, soy un chico.

- No me importa perra, me importa tu culo. No hacía falta que me lo enseñaras debajo de la minifalda al subir al taxi. Ahora ponte en posición o te golpearé.

Acompañó sus palabras con un par de bofetadas. Sabía que no podría resistirme a ese monstruo y entonces, en el fondo, deseaba realmente someterme a su violencia. Por voluntad propia me quité las bragas, este salvaje me las habría arrancado. Doblada en dos, agarrada a la cómoda del pasillo, le presenté mi grupa sin decir nada. Ya había sacado la polla, un enorme artilugio comparable al consolador que había cogido el día anterior. Me obligó a entrar con un violento empujón y descargó muy rápidamente. Me di cuenta de que encontraba mi placer en una completa sumisión a este monstruo repugnante.

Esa noche, por teléfono, le conté todo a mi Maestro. Me regañó por mi comportamiento en el médico y me felicitó por mi sumisión a ese repulsivo taxista. Ahora sólo tenía dos días para esperar su llegada. Cada vez lo necesitaba más.

Capitulo VI

Fue esta noche cuando mi Amante regresó por fin de su largo viaje. Para recibirlo con dignidad de esclava sumisa, había previsto un traje de doncella: liguero y medias negras, zapatos de tacón de aguja y luego un sencillo delantal blanco con volantes, cuya parte superior apenas ocultaba mis bonitos pechos y que terminaba en la espalda con un enorme nudo que resaltaba mi grupa bien arqueada. Mi atuendo era muy erótico.

Había planeado una cena de enamorados a la luz de las velas y no había olvidado poner la fusta en la mesa de centro, junto a las copas. Todos estos preparativos me habían puesto en un estado de excitación febril. Cuando oí a mi Amante, mi Amo, abrir la puerta, me apresuré a colgarme de su cuello. Me abrazó violentamente contra él, pude sentir su sexo erecto. Con la boca abierta me ofrecí a sus besos, siendo la penetración de su lengua el preludio de las intromisiones más ardientes que me esperaban.

Me hizo girar delante de él, admirando mis pequeños pechos ahora bien formados gracias a las hormonas. Pasó su mano entre mis muslos para encontrar mi pequeña polla bien escondida en su anillo. Estaba encantado con la intervención del médico (capítulo IV). Su excitación fue máxima cuando me pidió que caminara delante de él, hacia el dormitorio.

Caminé lentamente por el largo pasillo ondulando mi grupa. Me siguió a distancia, pudiendo disfrutar del espectáculo que le ofrecía. Mis piernas vestidas de negro, mi encantador culito enmarcado por los tirantes y rematado por el lazo blanco debieron aumentar su excitación.

Cuando llegamos a la habitación, le desnudé en mi papel de criada sumisa. De pie, me dejó hacerlo. Cuando terminé mi trabajo, me arrodillé frente a él y tomé su sexo en mi boca. Había olvidado lo bien que estaba mi amante en las dos semanas que había estado fuera. Estaba en trance al pensar que en un momento esa enorme polla iba a destrozar mi culito.

Sin demora, me cogió entre sus fuertes brazos y me tumbó en la cama. Con la grupa bien arqueada, esperé ansiosamente a que me sodomizaran. Con un potente empujón de su riñón su carnoso glande forzó mi esfínter, dejé escapar un pequeño grito. La larga polla de mi Amante se clavaba profundamente en mis entrañas, estaba en un estado de intensa excitación. Me di cuenta de que iba a correrse muy rápidamente. Deseando participar más intensamente en su placer, liberé mi pequeña polla de su anillo y me masturbé. Nos corrimos juntos, fue delicioso.

Cuando nos levantamos, mi Amante vio el halo de mi semen en la sábana. El tono cambió:

- pero te has masturbado sin mi permiso, pequeña zorra!

- Quería correrme al mismo tiempo que tú, cariño.

- Eso no es razón, ¡sólo debes hacer lo que yo te diga! Tienes que controlarte, Florence. Si quieres ser criada, empieza por cambiar las sábanas y mañana harás la colada.

Fue a sentarse en un sillón. Estaba ocupado cambiando las sábanas. Cada vez que me cruzaba con él, movía la grupa y le presentaba el culo, con la esperanza de calmarlo. Cuando terminé mi tarea, se levantó y me ordenó que me pusiera a cuatro patas sobre el asiento. No había tiempo para discutir, obedecí sin decir nada.

Había cogido unas finas correas de cuero. En un instante me encontré con los muslos firmemente sujetos a los reposabrazos y los brazos atados detrás del respaldo. No podía hacer el más mínimo movimiento y en esta posición humillante mi grupa erecta estaba expuesta a todo tipo de abusos.

Empezó por ponerme las pinzas de los pechos. Por primera vez tuve que soportarlos desde que me crecieron los pechos. El placer del dolor era más violento y esto era sólo el principio de mi tormento. Se decantó por el enorme consolador vibrador que tuve que introducirme cuando "hicimos el amor por teléfono" (capítulo V). Me la introdujo en el culo sin piedad, afortunadamente mi agujerito seguía bien abierto después de la sodomía que acababa de sufrir. Las intensas vibraciones del aparato pusieron todo mi cuerpo en trance. Entonces los golpes empezaron a llover sobre mi grupa. No era el látigo habitual que siempre me excitaba, sino un látigo abominable cuya fina correa quemaba mi culito hecho para el amor:

- ahora entenderás que debes obedecer, pequeña zorra!

- Sí, querida, te ruego que me perdones

- estás castigada Florencia, ya no soy tu querida, debes llamarme amo y ser educada conmigo

- Amo, seré tu esclava sumisa pero, por favor, deja de abusar de mí. Mi pequeño culo golpeado no te excitará más.

Por fin dejó de torturarme y me desató. Me sequé las lágrimas y con mi mejor sonrisa le dije:

- Maestro, si quieres venir al espectáculo, el aperitivo se sirve

La velada fue deliciosa, mi Maestro quedó encantado con la cena que había preparado. Estar obligada a ser cortés con él me colocaba en una posición de completa sumisión que me gustaba. Yo me había quedado con mi traje de sirvienta y él se había puesto su kimono habitual. Al final de la comida se sentó en un sillón y me pidió que le sirviera un coñac. Fui de un lado a otro para poner orden. Cada vez que pasaba me quedaba delante de él para que pudiera admirar mis pequeños y firmes pechos, apenas ocultos por la parte superior del delantal, pero también mis bonitas nalgas enrojecidas por el látigo.

Mi pequeña maniobra no tardó en surtir efecto, su enorme polla apuntaba bajo el kimono. Tomé la iniciativa de provocarle:

- Maestro tienes una magnífica erección, estoy a tu disposición para satisfacerte. ¿Quieres que te la chupe o prefieres follar conmigo?

- Florence, eres una putita. Probemos otra cosa. Súbete a mis muslos, empálate en mi polla y haz que me corra. Quiero ver si puedes hacerlo.

Tomé la posición sin demora. Con su enorme polla descarada firmemente en la mano, apunté el glande turgente a mi pequeña 'ileta. Con los ojos cerrados y conteniendo la respiración, me ensarté hasta la guardia. El dolor era agudo, pero rápidamente fue sustituido por el placer cuando empecé a moverme lentamente hacia delante y hacia atrás. Mi Amo, muy excitado, me manoseaba febrilmente los pechos, me acariciaba los pezones y boca a boca me hacía beber su coñac. Nuestro orgasmo duró mucho tiempo, cuando vació su semen en mi vientre tuve un orgasmo de mujer. Exhausta, me dormí en sus brazos.

El día siguiente era domingo, el último día de las vacaciones de primavera. Entonces tendría que volver a la escuela, convertirme de nuevo en Ysan, en estudiante de Bellas Artes y presentarme a la oposición. Esto era lo que había decidido mi amo.

Mientras tanto, yo acababa de dormir en sus brazos. Cuando me desperté, me aventuré a decirle "no". No me regañó, así que deduje que mi castigo había terminado. Para el último día de mis vacaciones, me anunció un programa tentador: almuerzo en un gran restaurante y una película por la tarde. Quería estar guapa, así que me ofrecí a enseñar el trajecito estilo Chanel que me había comprado mientras él estaba fuera. Aceptó, pero fue él quien eligió mi ropa interior:

- Llevarás la camisola de seda rosa, liguero a juego y medias beige, pero no bragas. Y no te olvides de hacerte un enema. Quiero que estés muy limpia, seguro que serás sodomizada por varios hombres antes de que acabe la mañana.

Obedecí, un poco angustiada por sus palabras. Salimos a pie. Me pareció muy sexy y los hombres se volvieron para mirarlo. Antes de llegar al restaurante mi Maestro me advirtió:

- Florencia, no debes olvidar demasiado rápido que ayer fuiste castigada. En el restaurante te levantarás la falda y tu culo desnudo se rozará con el cuero del banco. Sufrir un poco te recordará tu castigo.

- Pero, cariño, la falda me aprieta, tendré que subirme a lo alto y todos verán mis tirantes.

- No me importa, debes obedecerme.

Cuando llegué a nuestra mesa intenté subirme la falda lo más discretamente posible, pero una vez sentada todos pudieron ver la parte superior de mis medias y tirantes. El cuero del asiento calentaba mis magulladas nalgas, la sensación era a la vez dolorosa y excitante. Cuando el maitre vino a tomar la orden, no dejó de admirar mis muslos y susurró unas palabras al oído de mi Amante. En cuanto se fue, supe lo que había dicho:

- Florence, con tus actitudes de zorra has excitado a este buen chico. Ahora tienes que relevarlo. Ve al baño, deja la puerta abierta, súbete la falda a la cintura, desabróchate la blusa y espera. Vendrá y te sodomizará.

Obedecí, sin decir nada. De pie en el retrete, con el liguero al aire y los pechos expuestos, mi posición debió de ser especialmente excitante. El maitre no tardó en venir. Sin decir nada, me acercó a él, con la boca abierta a los besos de un hombre tan hermoso. Deseé que sus ardientes besos duraran siempre, pero pronto me inclinó y con las manos apoyadas en el cuenco le presenté mi grupa. Mientras apuntaba su glande a mi agujerito, me habló:

- Por lo que veo, la joven fue severamente castigada, ¿cuál fue el motivo?

- Señor, no me atrevo a decírselo.

- Señorita, debes contarme todo, de lo contrario serás castigada de nuevo por tu Amo.

- anoche me masturbé sin su permiso

- así que hizo lo correcto al entregarte a mí, eres una verdadera putita cachonda, señorita. Vas a sentir mi gran polla.

Con un potente lametón se abrió paso hasta mi "ileta". El hombre era un experto en sodomía. Sabía alternar empujones violentos y movimientos más lentos. A veces incluso se retiraba por completo para sentir el placer de forzar de nuevo mi apretado agujerito. Fue doloroso para mí, pero muy emocionante. Estaba gritando. Para hacerme callar me metió una toalla en la boca. Me mordía los pañuelos, me ahogaba, pero mi disfrute era extremo. Cuando se vació en mi vientre, tuve un orgasmo de mujer.

Se marchó sin decir nada y, mientras volvíamos a nuestra mesa, soñé que todos los hombres de la sala se turnaban para follarme en el baño. Se lo dije a mi Maestro y tuvo una respuesta críptica:

- el día acaba de empezar mi pequeña Florencia, tendrás otras pollas antes de esta noche

Cuando salimos del restaurante, el maitre vino a saludarnos y pude ver que mi amo no pagaba. Era yo quien lo había hecho con el culo, estaba muy orgulloso de ello.

Tras esta excelente comida, nos dirigimos al cine. Mi Amo repitió entonces las instrucciones de la mañana, me obligaron a sentarme con la falda ajustada levantada, la parte superior de mis muslos estaba expuesta a la vista de todos. El asiento de mi derecha estaba libre, pero no permaneció así durante mucho tiempo, pues pronto lo ocupó un solo hombre. En cuanto se apagaron las luces, sentí su mano sobre mis muslos. No me atreví a moverme. Se volvió más audaz, su otra mano empezó a buscar en mi corpiño. Mi Maestro lo vio y me susurró sus instrucciones al oído:

- Deja que lo haga y acaricia su polla. Cuando se empalme bien, ponte entre sus muslos y bombea con fuerza. Quiero que te lo tragues todo.

Conocía la técnica de hacer el amor en el cine por haberla practicado con mi Amante en el pasado (capítulo III). El hombre vino muy rápido. Me costó tragar todo su semen acre y viscoso. Se marchó antes del final de la película, pero otro que había visto la atracción vino a ocupar su lugar. Con un movimiento de cabeza, mi Maestro me hizo comprender que debía renovar la sesión.

Cuando salimos de la habitación, mi estómago estaba revuelto por todo el semen tragado. Pero todas las humillaciones del día me habían puesto en un estado de excitación febril. Mi Maestro lo entendió. En cuanto llegamos a su casa, me pidió que me subiera la falda y me pusiera a lo perrito en el sofá. Me sodomizó durante mucho tiempo y mi orgasmo fue intenso.

Este loco día marcó el final de mis vacaciones de primavera. Mañana tendría que volver a la escuela de arte durante otro trimestre, convertirme de nuevo en Ysan, esperar los fines de semana para volver a vestirme de chica y el amor de mi Amante, mi Maestro. Afortunadamente, el tiempo vuela.

Se acercaba el fin de curso, era un viernes por la noche. Yo estaba sentada en su regazo con un camisón rosa, y él me manoseaba los pechos mientras se bebía su whisky:

- Tengo planeada una velada inusual para mañana por la noche, querida. Un muy buen amigo mío, dueño de un club privado, acaba de llamarme por teléfono. Está organizando un mercado de esclavos y quiero presentarte.

- cariño! ¡quieres venderme! ¡ya no me quieres! (Me puse a llorar)

- No has entendido nada, tonta, es un juego. Este club es frecuentado por gente muy buena, los esclavos se subastan sólo por la noche. A ti que te gusta que te monten los vendedores de ropa, mi amigo el médico y otros, durante una noche completa tendrás todas las pollas que quieras, yo te vigilaré. Quiero ver los resultados de la educación que te he dado

Estas palabras sólo me tranquilizaron moderadamente. Al día siguiente mi Maestro no me tocó, 'teníamos que guardarnos para la noche'. Fuimos al cine, pero antes de salir me dijo

- Ponte el tapón, tienes que estar bien abierto para esta noche.

A la vuelta, era hora de prepararse para esta noche loca:

- Ve al baño, te he preparado el traje y no te olvides de hacerte un enema, quiero que estés impecable. Crema bien tu agujerito, te será muy útil.

Mi Amo había planeado un atuendo especialmente provocativo: medias negras con costuras y zapatos de tacón de aguja, pero sobre todo un gran corpiño de raso negro ribeteado de fino encaje. Lo habrá comprado para la ocasión. Encima las medias copas no ocultaban mis pequeños pechos, al contrario, los realzaban y resaltaban las puntas de mis pezones por encima del encaje. En la parte inferior, la ancha banda de encaje velaba mi pubis y por detrás formaba un voluptuoso estuche alrededor de mi hermosa grupa. Mi atuendo se completaba con unos guantes negros largos, sin joyas pero con un collar de esclava y unas pulseras a juego

Una vez vestida, maquillada, perfumada y tras comprobar que mi colita estaba bien sujeta a su anilla, me presenté ante mi Amo:

- cariño, me gusta mucho el conjunto que has elegido, pero no puedo salir así

- por supuesto, vas a llevar el abrigo de pieles que te compré al principio del invierno

El club estaba situado en un gran suburbio, en una hermosa casa en un parque donde los coches podían aparcar discretamente. En la entrada, una criada se encargaba del guardarropa. No me atreví a quitarme el abrigo de piel, pero mi amo sí lo hizo. Así que me encontré encaramada sobre mis tacones de aguja, con mi corpiño y mi trasero desnudo en medio de esta inmensa sala, justo cuando llegaban los invitados.

El dueño del lugar, un hombre alto y elegante de rostro severo, se acercó a nosotros. Evidentemente, para él yo no existía, sólo era un objeto. Se dirigió a mi Maestro:

- Buenas noches querido amigo, que placer verte por aquí. Nos has traído una potra preciosa, espero que la saques a subasta, hará feliz a la gente esta noche. He dispuesto que esté en el expositor número tres, puedes llevarla allí.

Mi amo sacó de su bolsillo una correa que se apresuró a atar a mi collar y me condujo al gran salón bajo la mirada concupiscente de todos los hombres que me medían. La sala era muy grande, y a su alrededor había una veintena de pedestales de madera numerados, cada uno de ellos rematado por un poste. Tuve que subir al puesto número tres reservado para mí, y con los brazos a la espalda, mi Maestro me ató al poste:

- Me voy un rato a vestirme, pero volveré pronto para vigilarte. Te prohíbo que hables, pero debes dejar que todos los hombres te manoseen. No olvides que uno o más de ellos te alquilará la noche. Sé dócil y sumiso.

Los hombres e incluso algunas mujeres empezaron a rodearme. Todos estaban desnudos bajo un kimono. Las más atrevidas o interesadas se subieron al pedestal, palparon mis pechos, pasaron sus manos por mi entrepierna, introdujeron brutalmente dos dedos en mi agujerito. Debo confesar que aquí descubrí que esta sumisión total correspondía a mi verdadera naturaleza y me produjo una intensa excitación.

Mi Maestro regresó, también en kimono, era la hora de la subasta. Todavía con la correa, me llevó al escenario central para presentarme al público:

- Esta es Florencia, tiene veinte años y, como podrás comprobar cuando vayas a palparla, tiene los pechos de una chica, la cola de un chico, pero lo más importante es su culo. Date la vuelta, Flo, para que nuestros amigos puedan admirar tu hermosa grupa. Le encanta la sodomía, la he preparado bien, acepta pollas de hasta seis de diámetro. (Escuché un Oh! de admiración por parte del público). Para concluir, diría que Flo es una verdadera putita hecha para el amor. No tiene miedo de que la tomen diez o veinte hombres en la noche, así que podéis juntaros todos para alquilarla esta noche. ¿Tienes alguna pregunta para mí?

- ¿Cómo es que apesta?

- Flo te dejaré responder

- Mi Maestro me enseñó a tomar todo el glande en mi boca, a lamer y pajear el eje, a acariciar y mordisquear las bolas.

- Eso está bien, pero ¿te lo tragas todo?

- Claro, señor, me gusta tener la boca llena de semen acre y viscoso.

- Así que estoy muy interesado en ti, pequeña zorra.

No hubo más preguntas, mi Maestro pudo iniciar la puja: "mil euros, dos mil, cuatro mil, ¡vendido! Vi a un grupo de unos diez hombres felicitándose en voz alta, acababan de ganar el premio gordo. Me iban a entregar a ellos para pasar la noche.

Me llevaron a un salón del piso superior y cerraron cuidadosamente la puerta. Fui de ellos y sólo de ellos durante el resto de la noche. Eran nueve, todos ellos tipos sólidos y muy cachondos. Pronto vi sus colas, ninguna estaba tan poderosamente montada como mi Maestro, lo que me tranquilizó. La sala de estar era una gran habitación amueblada con varios sofás y una barra, con el suelo sembrado de grandes cojines. Una pantalla de televisión proyectaba una película porno. Junto a la habitación había un gran baño.

Mis chicos se sentaron en círculo sobre los cojines. Había un jefe que me ordenó ir a cuatro patas de uno a otro para un primer aperitivo para prepararlos bien. Parece que les gusta. Luego tuve que ponerme a lo perrito en un sofá central y se turnaron para tomarme el culo. Todos ellos eran excelentes folladores, cada vez tenía un orgasmo. A menudo no me daban tiempo para ir a lavarme, cada uno se bañaba en el semen de su predecesor. Cuando el último se retiró, el primero había recuperado su vigor y el tiovivo volvió a empezar. Me había convertido en las pelotas de estos señores. Después de más de dos horas de placer repetido, yo estaba completamente agotada, afortunadamente ellos también.

Estaban sentados en los cojines, bebiendo y viendo la película, cuando un pequeño grupo de personas se unió a ellos. Había tres tipos robustos y una mujer muy joven, rubia y hermosa a la que llamaban Isabelle. Evidentemente, la monada había sido muy utilizada. Su liguero mal ajustado, su pelo pegajoso por el semen, me dijo que su pequeño disco estaba bastante dañado por intentar coger una polla demasiado grande. Le horrorizaba la idea de ser montada por mis nueve chicos. La tranquilicé, no podían aguantar más.

Todos los varones que se encontraban tirados en los cojines bebían y bromeaban juntos. Para distraerlos, Isabelle y yo decidimos ofrecerles un pequeño espectáculo erótico. Tumbadas en el sofá central nos acariciamos como dos auténticas lesbianas. Adoptamos las poses más lascivas, estaban encantados. Para mí, era la primera vez que acariciaba a una chica, descubrí un nuevo placer.

Fue el momento en que mi Amo entró en la habitación, mi noche de esclavitud había terminado, mi educación en el amor también. En ocho días habría terminado mis estudios y podría empezar una nueva vida para mí.

Capitulo VII

Ahora que mis estudios habían terminado, por fin podía vivir la vida que soñaba con mi Amante, mi Maestro. Ser su doncella, su esclava sumisa, siempre dispuesta a satisfacer todos sus deseos, incluso los más perversos. Encontrar mi placer en la humillación y el dolor de los tormentos que me imponía.

Como era el comienzo del verano, me propuso hacer un largo viaje a Italia, una especie de luna de miel. Estaba en la luna y, en un frenesí, preparé rápidamente mis maletas delante de él, sin olvidar todo mi surtido de ligueros, camisones y otros caracos. Cuando quise meter unos pantalones en la maleta, me detuvo:

- No, Florence, no hay pantalones, sólo minifaldas. Quiero poder tomarte cuando quiera, donde quiera, sin tener que desnudarte.

Cuando hizo la maleta, pude ver que se llevaba la fusta que tanto me excitaba, pero también el enorme consolador vibrador que tanto dolor me había causado. Salimos en coche hacia el Sur. En la primera parada en un bosque quiso fotografiarme en cuclillas mientras hacía mis necesidades. Hizo muchas fotos. Me dio vergüenza, pero comprendí que esta sesión de fotos le excitaba mucho. Además, sin importarle si alguien podía vernos, me inclinó sobre el capó del coche para follarme febrilmente.

Cuando llegamos a Italia, pasamos varios días en Venecia. Por la noche dimos largos y románticos paseos en góndola. Tenía que llevar medias y liguero, pero no se me permitía llevar bragas. En el frágil barco, mi Amante no dudó en subirme la falda y abrirme el corpiño para fotografiarme. Este inesperado espectáculo excitó mucho al gondolero y, cuando llegamos a un canal poco frecuentado, me ordenaron que lo relevara. Agachada frente a él, le chupé la polla y me tragué todo su semen. Nuestro paseo romántico volvía a estar en marcha. Estas veladas, a la vez sentimentales y perversas, fueron muy perturbadoras para ambos. De vuelta al hotel, mi amante me empujó a la cama sin siquiera tomarse el tiempo de desnudarme. Con mis lomos bien arqueados esperé con miedo y deleite el momento en que su enorme polla me empalara. Pronto me penetró y buscó largamente en mis entrañas. Gemí de placer. Cuando vaciaba todo su semen en mi vientre siempre tenía un violento orgasmo.

Cuando nos quedamos en Roma, mi Amante se complacía en llevarme al anochecer a los rincones más discretos del foro. Allí, en medio de las viejas piedras, me hacía hacer pausas lascivas, tenía que mostrar mis muslos, mis nalgas o mis pechos y me fotografiaba. Los mirones no tardaron en reunirse para disfrutar del espectáculo. Algunos se sacaban la polla y se masturbaban mientras me miraban. Cuando terminó la sesión de fotos, mi Maestro me ordenó que los relevara a todos. Uno en mi boca, otro en mi agujerito, podría satisfacer a dos a la vez. Los demás esperaron pacientemente su turno. A menudo esto duraba más de una hora. Estaba agotada, magullada, humillada, pero mi orgasmo había alcanzado su punto álgido. Mi amante estaba muy excitado y cuando llegamos al hotel aún tuve que soportar sus ardientes asaltos en mi ardiente culo antes de poder finalmente quedarme dormida.

Al regresar de este largo viaje, mi Amante se apresuró a ordenar todas sus fotos. Fue a ver a un amigo que era editor y tomó las mejores fotos con él. Un mes después teníamos el resultado del trabajo de este excelente profesional. Un libro de gran formato, en papel brillante. En la portada se veía una ampliación de mis nalgas con un tanga de encaje blanco y el título: FLORENCIA EN UN VIAJE NOCTURNO. Al pasar las páginas, descubrimos unas fotos maravillosas. Primero una larga serie de fotos encantadoras: Florencia paseando por el bosque, Florencia en góndola, Florencia visitando Roma. Estaba muy orgullosa de mostrar mis arrogantes pechos, mis enjutos muslos, la armoniosa redondez de mis nalgas, el provocativo arco de mi grupa. Siguieron más fotos íntimas: Florence se quita las bragas, Florence se ata los tirantes e incluso Florence se relaja. El libro terminaba con una serie de primeros planos especialmente eróticos: una mano acariciando mis pechos, un brazo abrazando mi grupa desnuda, pero también mis nalgas marcadas por los golpes de una fusta, mis labios chupando una polla y, para terminar, la visión de mi agujerito destrozado por el enorme consolador.

Todas estas imágenes que recuerdan momentos de placer doloroso e intenso me perturbaron. Mi Maestro me observó mientras hojeaba el álbum:

- Entonces, Florence, ¿qué piensas de este libro?

- es un hermoso trabajo mi querida

- sí, y decidí comercializarlo

- venderás las fotos de mi cuerpo desnudo!

- es mi derecho Florencia, no olvides que me perteneces

Así que muchos hombres a los que nunca vería podrían excitarse, masturbarse mirando mi cuerpo. Esta perspectiva me perturbó profundamente. Un mes después recibimos las existencias de libros. Mi maestro decidió organizar un cóctel en los salones de Bellas Artes para presentar el libro. Una noche en la que yo sería la reina. Como de costumbre, eligió mi atuendo para esta gran recepción: un corpiño negro de satén y encaje con medias copas que dejaba mis bonitos pechos bien visibles, una blusa blanca muy abierta, una minifalda negra, medias con costuras y tacones de aguja. Tomé la iniciativa de no llevar bragas.

- Hiciste lo correcto, Florence, al no llevar bragas, nuestros invitados se asegurarán de acariciar tu trasero cuando firmes nuestro libro, pero esta noche no debes dejar que vayan más allá. Si te apetece dejarte atrapar por algunos de ellos, los invitaremos a la casa más tarde.

En el Beaux-Arts, mi maestro había traído a una docena de sus alumnos de primer año para servir. Iban vestidos como yo, pero no estaban acostumbrados a llevar medias. Con gran placer, les ayudé a ajustarse los tirantes. Ninguno de ellos se dio cuenta de que yo era un chico.

Fue una velada estupenda, hubo mucha gente, vendimos muchos libros. Seguí firmando autógrafos y haciendo que me acariciaran las nalgas. Nuestro amigo médico estaba allí, y aprovechando un momento de tranquilidad, me llevó aparte:

- Florencia te necesitaría como ayudante, he hablado con tu maestro y está de acuerdo. Debes planear pasar al menos tres tardes a la semana en mi oficina. Por supuesto, se te pagará generosamente.

- pero Doctor, ¿en qué consistirá mi trabajo?

- Tengo algunos clientes especiales a los que sólo tú puedes ayudar.

- ¿Qué debo llevar para este trabajo?

- No Florence, ven con tu elegancia habitual y te daré la ropa que se adapte a tu función. Podríamos empezar el próximo jueves.

La propuesta del médico me había perturbado profundamente. Hablé con mi Amante sobre ello y me confirmó que lo sabía y me pidió que aceptara. No pude obtener más detalles de él.

Después de una velada perfectamente lograda, volvimos a casa. En cuanto mi Amante me abrazó, pude sentir su erección:

- Florencia estuviste perfecta, te deseo mucho pero esta noche elegirás cómo hacemos el amor.

- Gracias querida, nunca he tenido una fiesta así. Recuerdo que una vez, al principio, me llevaste por delante. Podrías besarme y acariciar mis pechos. Mi pequeña polla se frotaba contra tu vientre, era maravilloso.

- Bueno, hagámoslo de nuevo mi amor, acuéstate.

Ni siquiera me tomé la molestia de desnudarme. Simplemente saqué mi pequeña polla de su anillo y me tumbé de espaldas deslizando una almohada bajo mis nalgas como él había hecho la primera vez (capítulo II). Con las piernas separadas le esperé. Me tomó con mucha suavidad y luego los movimientos de su soberbia polla se aceleraron. Al mismo tiempo, introducía su lengua en lo más profundo de mi boca o me mordisqueaba los pechos. Tenía una erección contra su vientre. Nos hemos juntado y ha sido delicioso.

Por fin llegó el jueves en el que debía empezar a trabajar como ayudante de médico. Estaba muy ansiosa. Me recibió con su habitual cortesía:

- Florencia tu primer cliente ya está aquí. Es un hombre muy grosero y acomplejado. Quiere sodomizar a un chico, pero no se atreve a dar el paso. Vas a liberarlo. Quítate la ropa, saca tu preciosa polla de su anillo y ponte esa túnica blanca y corta. Cuidado, el hombre es violento, no tienes que hablar con él, no dejes que te bese, adopta la posición de perrito y deja que te trabaje. En cuanto haya venido, te bajas. Estás a salvo, él está en el dormitorio de arriba con un espejo unidireccional y yo estaré vigilando listo para intervenir.

Mientras subía las escaleras mi emoción era intensa, sudaba frío. El hombre completamente desnudo estaba sentado en un sillón. Era un verdadero gorila, un monstruo. Cuando me vio, empezó a masturbarse. Su polla tenía un buen tamaño, pero enseguida pude comprobar que podía tomarla sin demasiado dolor. Un poco tranquilizado y sin mediar palabra, adopté la posición de perrito en el borde de la cama. Se acercó por detrás de mí con un rugido y apretó mi pequeña polla con su áspera mano. Se introdujo en mí con un grito bestial y sus empujones fueron acompañados de gritos salvajes. Afortunadamente, vino muy rápido y salí de la habitación sin decir nada.

El médico vino a verme a su despacho. Me felicitó por mi actuación y me ofreció un whisky para superar mis emociones, pero el siguiente cliente ya había llegado. Un caso muy diferente, era un marica que quería ser sodomizado. Todavía con mi túnica blanca, el médico me hizo poner un consolador con cinturón. Volví a la habitación más relajado que antes y me follé al gamberro que me esperaba sin ningún cuidado. Tenía mucho dolor y parecía encantado.

Había disfrutado de mi primer día en la consulta del médico. Ahora estaba dispuesto a enviarme a todos sus clientes, incluso a los más neuróticos. En las semanas siguientes, vi a muchos de ellos. Me entusiasmó y a mi Amante también cuando le conté por la noche mis aventuras del día.

Cuando no iba a trabajar al médico, solía quedarme en casa y hacer de todo mientras esperaba a mi Maestro. Una vida de criada sumisa que me gustaba. A menudo invitaba a muchos amigos. Para mí fueron tardes muy emocionantes.

Estuve ocupada todo el día preparando la comida, el aperitivo, poniendo la mesa. Necesitaba tiempo para vestirme, peinarme y perfumarme. Quería estar muy guapa, aunque mi atuendo era siempre prácticamente el mismo: basque de encaje negro, medias de rejilla, zapatos de tacón y mi pequeño delantal blanco de sirvienta.

Todos nuestros invitados llegaron con hermosos regalos. En cuanto entramos en la sala, ofrecí mi boca a sus ardientes besos mientras muchas manos acariciaban mis nalgas y mis pechos. Cuando tomamos un aperitivo en el salón, su frenesí de amor subió de tono.

Entonces anunciaba que la comida estaba servida. En la mesa, nunca me hice un hueco. Quería poder dedicarme por completo a servir a estos señores. Estaba solo para satisfacerlos y a menudo eran más de diez. Además, entre cada curso siempre había uno que me pedía que le relevara. Me ponía a cuatro patas bajo la mesa y se la chupaba mientras él seguía charlando con sus amigos.

Al final de la comida no era raro que el más excitado me inclinara sobre la mesa y me follara por el culo entre los aplausos de sus camaradas. Luego nos trasladamos a la sala de estar y, en un estado de disfrute permanente, seguí satisfaciendo a todos esos machos cachondos. Una polla en la boca, otra en el culo, me recordaba nuestras tardes en el foro romano. Los más mojigatos me arrastraban a un rincón apartado del salón para sodomizarme a su antojo. Se iban a última hora de la noche, encantados con su velada, yo estaba agotado pero realizado. Mi Maestro había hecho muchas fotos, pensando en nuestro próximo álbum.

Así transcurría mi vida cuando un día mi Maestro adoptó su mirada más seria y me habló:

- Florencia no puedes seguir viviendo así, sólo piensas en acostarte con todos mis amigos.

- cariño mi vida está organizada así por ti y me gusta.

- Tienes razón, pero ahora tu educación ha terminado. Quiero que te establezcas, que tengas tiempo para pintar, tu talento es inmenso. He decidido casarme contigo.

- ya no me quieres, quieres regalarme o venderme a otro hombre!

- No, porque nunca te olvidaré, pero estoy pensando en tu futuro y he decidido casarte con un príncipe africano, y siempre tendrás que llamarle mi señor. Ha visto tus fotos, está muy enamorado de ti.

- pero no conoce mi verdadera naturaleza de efebo andrógino.

- si, y esto es lo que le gusta, este hombre es un gran sodomizador.

- la pequeña ceremonia tendrá lugar aquí en presencia de todos nuestros amigos dentro de quince días. Hice creer al Príncipe que eras virgen, y debes dejarle esta ilusión. A partir de mañana ve a ver a los vendedores de ropa, ellos tienen mis instrucciones para tu vestido de novia.

Me fui a dormir gimiendo, pero sabía que no podía cambiar mi destino. Al día siguiente fui a la tienda de vestidos. Mi Maestro me había dado a elegir entre varios modelos, yo opté por un vestido de raso blanco. Las dependientas me advirtieron que tenían que abrir la espalda del vestido para que se me viera perfectamente la grupa y cortar el escote para que se me vieran los pechos. Mi atuendo se completaba con un corsé blanco con tirantes, guantes blancos, medias y zapatos de tacón, y un velo de gasa que me cubría la cabeza. En la última prueba me encontré guapa y muy erótica.

Se acercaba la fecha de la ceremonia y antes de conocer al hombre al que iba a ser entregada, me hubiera gustado ver al menos su foto. Mi Maestro siempre se negó. Por fin llegó el fatídico día. Me preparé durante mucho tiempo. Quería estar en la plenitud de mi belleza para atravesar este nuevo episodio de mi vida.

Cuando entré en el salón, todos nuestros amigos estaban allí, sentados en círculo. Me aplaudieron durante mucho tiempo. En el centro de la habitación había un sofá. El Príncipe se levantó para saludarme. Era un coloso negro muy elegante con su traje blanco. Me besó la mano y volvió a sentarse. Mi Maestro me pidió que caminara. Caminé lentamente alrededor del sofá con los lomos bien arqueados, ondulando la grupa, ofreciendo las nalgas como él me había enseñado. Quería que se sintiera orgulloso. Todos los invitados parecían fascinados.

Entonces el Príncipe me hizo parar delante de él. Me pidió que me diera la vuelta y sus enormes manos palparon mis nalgas durante mucho tiempo y luego, obligándome a agacharme, me separó delicadamente las nalgas. Me di cuenta de que estaba examinando mi ojete cuando, de repente, introdujo tres dedos en mi agujerito. El dolor era violento, pero yo no me inmutaba. En realidad, estaba disfrutando de la humillación que este hombre me estaba haciendo delante de todos nuestros invitados. Era como un tratante de caballos que evalúa a una potra antes de comprarla. Luego me atrajo hacia él para sopesar mis pechos, la inspección continuó. Por fin me encontré sentada en su regazo y me arrancó el velo para darme un beso como nunca antes había recibido: sus labios carnosos y deliciosos me chuparon la boca, su lengua larga y áspera buscó en todo mi paladar. Estaba en trance. Mi Maestro comprendió que el Príncipe estaba satisfecho, la ceremonia podía continuar:

- Mi señor, si te levantas, ahora Florencia se arrodillará ante ti para recibir tu sexo en su boca

Ambos adoptamos la posición y él mismo sacó su sexo. Hubo un murmullo de admiración por parte del público, yo estaba aterrado. Nunca había visto una polla tan grande. Con los labios estirados, me costó mucho introducir el enorme glande en mi boca. Mientras chupaba como podía, pensé en el tormento que me esperaba, y mi amo se apresuró a continuar:

- Espero, mi señor, que estéis satisfecho con este preámbulo y que podamos proceder a la ceremonia. Amigos míos, si os levantáis, Florencia va a ser desflorada delante de vosotros, es un momento importante en su vida. Florencia, vas a ponerte a lo perrito en el sofá, aparta la grupa para que todos puedan disfrutar del espectáculo, y arquea el lomo como te he enseñado.

Estaba horrorizada, todavía de rodillas intenté que el Príncipe se compadeciera de mí:

- Mi señor, tu magnífico sexo es demasiado grande para mí. Me destrozarás, quedaré lisiado de por vida. Te ruego que dejes de llevarme.

- Florencia, ahora eres mía y debes entregarte por completo. He examinado cuidadosamente tu anillito, es lo suficientemente suave como para soportar la sodomía a la que vas a someterte. Es la primera vez, sufrirás pero luego encontrarás mucho placer. Ve y toma la posición.

La orden era definitiva. Mi ansiedad estaba en su punto álgido, me levanté para unirme al sofá, me sentía como si caminara hacia el cadalso. Tomé la posición, el príncipe estaba de pie detrás de mí. Cuando sentí su glande apuntando a mi ojete, me entró el pánico. Quise huir, pero sus poderosas manos me sujetaron firmemente por la grupa. Por orden de mi Maestro, cuatro de nuestros invitados vinieron a ayudarle a contenerme. Me era imposible hacer el más mínimo movimiento, me iban a torturar. De nuevo sentí el glande del Príncipe apuntando a mi esfínter, que estaba contraído por el miedo. No insistió, se echó atrás pero para agredirme de nuevo. Con cada uno de sus asaltos me abría un poco más y finalmente forzaba brutalmente mi pobre y distendida tierra suplicando piedad. Grité de dolor y el Príncipe estaba convencido de que acababa de desvirgarme. Lentamente, introdujo su larga polla en mis entrañas. Me acarició suavemente las nalgas y me habló con calma, como el jinete que quiere tranquilizar a la joven potra que se monta por primera vez. Gritaba y gemía bajo los empujones que me daba ahora. Mi placer era tan violento como mi sufrimiento. Cuando se descargó en varios chorros potentes, parecía que todo mi vientre se llenaba de su semen.

En cuanto recobré el sentido, la despedida fue breve y la partida rápida. El conductor del Príncipe ya se había llevado todo mi equipaje. En el coche apenas podía quedarme sentada, los cojines de cuero me calentaban el pobre culo magullado. El viaje fue corto y me sorprendió descubrir mi nuevo hogar. Era un piso amplio, luminoso y elegante, con vistas al Bois de Boulogne, y una habitación se había convertido en un estudio de pintura para mí. Me conmovió tanta solicitud que olvidé el dolor de mis cimientos.

El Príncipe me presentó entonces a Fátima, una hermosa negra de treinta años asignada a mi servicio. Luego me llevó a nuestra habitación. Con gran ternura me besó mientras me quitaba el vestido de novia. Luego dio un paso atrás para admirarme. Subida a mis tacones de aguja, con las medias blancas bajo los tirantes unidos al corsé blanco, mis pequeños pechos y mi bonito culo claramente visibles, debía de ser muy excitante.

Esperé de pie frente a él. Sin mediar palabra, se desnudó apresuradamente. Su enorme sexo había recuperado todo su vigor. Comprendí que ya me iban a torturar por segunda vez. Sin esperar sus órdenes me acosté boca abajo. Se puso encima de mí y me penetró mientras me susurraba palabras de amor. El dolor era terrible, pero mordía la almohada para no gritar. Afortunadamente llegó muy rápido.

Al día siguiente partimos hacia nuestra luna de miel en la Costa Azul. Gran hotel de lujo, los mejores restaurantes, visitas a museos, conciertos y otros espectáculos, mi Príncipe siempre muy atento me cubrió de regalos. Fueron unas vacaciones de ensueño, pero cuando llegó la noche mi ansiedad aumentó, sabía que tendría que someterme a la penetración de esa monstruosa polla varias veces.

Cuando volvimos a París la vida continuó al mismo ritmo: lujo, amor y sumisión. Afortunadamente, mi Príncipe realizaba frecuentes viajes a su país, fueron unos días de descanso para mi ano ultrajado.

Una noche mi Príncipe no me dio tregua, me sodomizó cinco veces en un orgasmo increíblemente violento. Mi agujero estaba en llamas, mi lavadora probablemente desgarrada, gritaba de dolor. Por la mañana salió como de costumbre a sus citas de negocios.

Estaba tumbado en la cama intentando descansar cuando Fátima me trajo el desayuno. Me di cuenta de que quería hablar conmigo:

- La señorita sufrió mucho anoche, la oí gritar, probablemente sufrió varias sodomías de nuestro príncipe que es muy poderoso. Las mujeres africanas estamos acostumbradas a ser sodomizadas por hombres con pollas grandes y sabemos cómo quitarnos el dolor después. Si mademoiselle me lo permite, creo que puedo aliviarla.

- Eres muy amable Fátima, verás que mi agujerito está probablemente en muy mal estado.

Mientras hablaba me puse a cuatro patas en la cama. Fátima se puso en cuclillas detrás de mí con sus manos y separó mis nalgas para poder acariciar mi ano no con un dedo sino con su lengua. Lamió suavemente mi ojete, penetró en mi agujero bien humedecido por su saliva, mis sensaciones fueron exquisitas, el dolor se redujo. Al pasar su mano entre mis piernas descubrió que era un chico. Acarició mi polla con gran habilidad y delicadeza. Quería dejar que Fátima siguiera tocando durante una eternidad, pero me daba pena. Me enderezé para besarla. Estaba desnuda bajo su blusa de trabajo, ampliamente desabrochada. Instintivamente acaricié sus hermosos pechos, mi virilidad se despertó e hicimos el amor con ternura.

Relajada y en paz, me senté en el salón a escuchar música. De repente, el Príncipe llegó a una hora inusual para él. Un momento de pánico, estaba a punto de ser asaltada de nuevo por este hombre que era cortés y atento pero que se convierte en un monstruo cuando está en celo. Parecía preocupado:

- Florencia, están ocurriendo graves acontecimientos en mi país, tengo que irme, un avión me está esperando, ayúdame a hacer la maleta.

Unos rápidos preparativos, un breve beso, la promesa de llamarme lo antes posible y el Príncipe se marchó. Llevaba quince días sin saber de él cuando por fin me llamó:

- Florencia, mi país está en plena revolución y se me prohíbe permanecer en Francia. Sería demasiado peligroso que vinieras a acompañarme aquí. No volveremos a vernos, pero no te abandonaré. Ahora eres el propietario del piso de París y acabo de transferir una gran suma de dinero a tu cuenta. Tu futuro está asegurado y te pido que mantengas a Fátima a tu servicio. Adiós Florencia, te quiero.

Ni siquiera tuve tiempo de balbucear una respuesta, ya había colgado. Y así, cuando menos lo esperaba, mi vida dio un vuelco. Ya no era un efebo andrógino sometido a los caprichos de sus amantes, era yo quien debía organizar mi futuro. Ahora era libre, rico y dueño de mi destino.

Mi primer paso

Capítulo 1

Estamos en tu salón, sentados uno al lado del otro en un sofá y estamos desnudos.

Estoy a tu derecha, mientras me hago cosquillas en el pezón derecho con el dedo corazón, mi mano izquierda acaricia tus pelotas duras y llenas a punto de explotar.

Me masturbas lentamente, muy lentamente.

Mi mano sube lentamente por su columna de carne, la agarro y también comienzo una lenta masturbación. Qué emoción sentir tu polla creciendo en la palma de mi mano!!!

- No vayas demasiado rápido, dices. Sí, así. Sigue adelante.

Te miro, parece que lo disfrutas porque tienes los ojos cerrados. Con cada movimiento que mi mano hace contra tus pelotas, te estremeces:

- ¿Te he hecho daño?

- No. Maldita sea, esto es bueno!!!! No te detengas.

Tu glande apunta orgullosamente hacia arriba, con cada subida mi pulgar le hace cosquillas en la parte superior.

Yo también disfruto de tus caricias y mi polla tiesa ha encontrado una mano protectora que no deja de mimarla.

Después de unos momentos en esta posición, me preguntas:

- Sóplame un poco.

Me arrodillo entre tus piernas, mi boca sube por tu columna de carne. Mueve tu pelvis para que el contacto entre tu polla y mi boca sea más rápido.

Eso es, lo tengo en la boca. Empiezo a chuparte, mi mano derecha sigue masturbándote mientras la otra acaricia tus pelotas que voy a hacer rodar en mi mano.

Te miro con ojos de zorra porque me excita chupar una polla así mientras tú pones las manos para marcar el ritmo que quieres.

Tu pelvis comienza a ondularse cada vez más, sueltas pequeños que me indican que los fuegos artificiales están por llegar:

- Ouchhh. sigue. maldita sea es bueno.

Saco tu polla de mi boca para golpear mi cara con veinte centímetros de carne dura. Tu glande está tan púrpura que me obligas a meterte de nuevo en mi boca, pero aún no es suficiente.

Te levantas y ya no soy yo la que te chupa, sino tú la que me folla literalmente la boca. Siento tus caderas empujando sin parar con más violencia, mis manos agarrando tu culo, con cada empuje siento tus pelotas en mi barbilla.

Mi boca es ahora un agujero en el que irrumpes sin piedad, ahora no dudas en insultarme mientras me follas por la boca:

- Toma eso, perra, te va a dar en el cuello.

Mis sonidos de asfixia no te importan tanto como que se hayan ido, tus piernas empiezan a temblar.

Sin previo aviso, me bloqueas la cabeza, tu polla está en mi boca:

- Eso es... se va. Estoy jugando... aaaaaahhhhhhh.

Siento el primer chorro de semen caliente cayendo en mi garganta, ¡retrocedo pero sigues sujetándome!

Al segundo te echas atrás, me trago lo que me metes en la boca para no atragantarme, pero el tercero se acerca.

Sostienes la polla con la mano derecha, la izquierda sostiene mi cabeza, te masturbas cada vez más.

El último chorro de semen se estrella en mi cara, ¡no puedes aguantar más! Te tiemblan las piernas y me untas la cara con tu polla babosa. Tengo semen por toda la frente, las mejillas, los ojos y qué decir de mi boca, que no es más que una bandeja de semen!

Vuelvo a llevar tu sexo a mi boca para limpiarlo. Cuando termino, me levanto, con la polla en posición de firmes, para ir a lavarme, pero me detienes:

- Quédate aquí, yo me ocuparé de ti ahora.

Capítulo 2

- Siéntate.

Tímidamente me senté en el borde del sofá. Y ahí empezó todo, tú arrodillada ante mí y sonriéndome, y yo dejando que me devolvieras la sonrisa, feliz de saber lo que me iba a pasar.

Fue muy duro. Es una locura lo mucho que me estabas excitando con tu sonrisa, mi polla, ya bien regada, descansaba a lo largo de mi muslo.

Empezaste a besar suavemente primero el glande y luego la base, sujetándolo suavemente con la mano, con tu mirada de zorra. Dejé que pasara placenteramente mientras se me ponía dura, con el corazón palpitando.

Era la primera vez que experimentaba esto y con un chico! Me has mirado y me has masturbado suavemente, ha sido muy bonito por otro.

- Realmente tienes una gran polla.

- Gracias -sonreí-.

- Sabes que tienes que venir todos los días, es importante.

- Sí, sí. Le acariciaba el pelo.

- Una chica tiene que aprovechar esa polla.

- Bueno, yo también tengo que encontrarlo.

Empezaste a chupar lentamente mi glande. Ah, ¡qué felicidad! Qué suave, qué cálido! Estaba ofreciendo mi polla a un hombre por primera vez.

- Sabes que los chicos apestan más que las chicas porque sabemos mejor lo que nos hace felices.

Cada vez que mi polla salía de tu boca, una ráfaga de aire la enfriaba.

Me estabas bombeando la polla de una forma que podría haberme hecho correrme en 2 segundos. Se me puso muy dura y disfruté viendo cómo me la chupabas en tu salón.

Al cabo de dos minutos, levantaste la cabeza mientras te arrodillabas frente a mí, con la boca abierta para recuperar el aliento.

Casi me corro, qué pena, me hubiera gustado correrme en tu boca.

Sin mediar palabra, te levantaste y al ver tu sexo:

- Pero sigues teniendo una erección!

La única respuesta que obtuve fue:

- Sígueme!!!

Estábamos de pie junto a la mesa del salón, con nuestro sexo erecto, nuestros cuerpos sudando, y yo todavía tenía tu semen seco en la cara.

Me quedé quieto, me hablaste de nuevo:

- Date la vuelta, perra, para que pueda ponértela!

Mi corazón empezó a acelerarse, me di la vuelta, me puse en la mesa frente a ti, con las manos sujetando el borde opuesto de la mesa, como si quisiera agarrarme al borde de un precipicio, con los pies en el suelo, las piernas abiertas, el culo bien abierto, de cara a ti, más alto que el resto de mi cuerpo.

Sabía que me mirabas y sabía lo que tenías en tus manos y no podía aguantar más, no era más que "tu cosa", tu "hueco de la bola". Estaba gimiendo antes de que empezaras, sólo para sentirme así, a tu disposición. Ya estaba moviendo el culo, esperando febrilmente que empezara.

Me estabas dominando, tenías mi culo a tu disposición, me imaginaba tu enorme miembro, desvié la cabeza para no mirarlo y esperé impaciente.

- ¿Te gustaría? Y lo vas a sentir, putita!

Es cierto que te encendía y apagaba bastante en el chat y me encantaba cómo me hablabas.

Sentí sus dos manos a cada lado de mis caderas, me abofeteabas un poco las nalgas, me sobresalté, me pasabas las manos por el culo, no pude aguantar más. Mojaste uno de tus dedos y empezaste a acariciar mi ronda, me moví más y más, gemí.

Habías puesto tu dedo dentro de mí, se movía dentro, lo sentía, me movía con sus movimientos. Duró 30 segundos, ya estaba muy dilatada, tan ofrecida, tan excitada. Sin ninguna delicadeza, retiraste el dedo, volviste a tomar mis nalgas, colocaste tus piernas entre las mías, separaste mis piernas con las tuyas mientras presionabas la parte baja de mi espalda. Estaba completamente presionada contra la mesa, con el culo levantado, sobresaliendo, bien ofrecido.

Sentí tu sexo contra mi disco, me puse tan rígido que me sorprendí, ¡pero nada!

Te detuviste en el borde, pude sentirlo allí, tu glande colocado justo en la posición correcta, sólo un poco de presión, suficiente para que lo sintiera pero no lo suficiente para que entrara!

Levanté la cabeza, respiré más fuerte todavía, lo sentía ahí, listo para salir, pero no pasaba nada, sólo esa pequeña presión constante que sentía, mientras respiraba fuerte mi culo hacía pequeños movimientos, esto tenía el efecto de variar la presión de tu glande en mi ano, haciéndome respirar más fuerte todavía, haciéndome mover más fuerte todavía. Sin darme cuenta me estaba abriendo a su glande, asustada, esperando ansiosamente el momento fatídico.

Tienes una técnica absolutamente increíble: una pequeña presión, retrocedes un centímetro, una segunda presión, una tercera presión, a la sexta, empezaba a relajarme, estaba cada vez más flexible, más relajada, empezaba a dejar de pensar en la penetración, sólo en el placer de ese ariete que fingía querer entrar pero que se retiraba en cuanto empezaba a separarme. Me dejé llevar, tus movimientos fueron más rápidos, mi ano no tuvo tiempo de apretarse antes de que llegara la siguiente presión, hasta que por sorpresa no te retiraste, sino que aprisionando mis nalgas continuaste la presión hasta que mi ano medio reblandecido se abrió, tomando la forma de tu glande.

Entró solo, sin dolor, sin desgarro. Te movías lentamente, en un movimiento continuo, sin parar. Sentí cada centímetro de tu polla recorriéndome, sentí que mi vientre se llenaba, me aferré a la mesa. Dejo que mi culo vaya hacia atrás, hasta el momento del dolor. Sentí que se detenía, que frenaba, que me llenaba por completo, que se extendía:

- Ohhhhhhhh es bueno...

Parece que a ti también te gusta;

- Ooh síiiii, eso es lo que querías, ¿no? ¿Querías sentirlo? ¿Puedes sentirlo ahora?

Ya empezabas a hundirte lentamente, y luego te hundirías un poco más. Sentí que te hundías hasta el fondo, haciéndome gritar de dolor:

- Ay! . Sí, está bien.

Retrocediendo de nuevo para empujarte un poco más, empezaste de nuevo, más rápido, más lejos, al cabo de dos minutos me estaban atizando en el estómago sin piedad: Paf! Paf! Paf!

Golpeaba con fuerza, haciéndome gritar de dolor cada vez que su bajo vientre tocaba mis nalgas, pero el placer era aún mayor.

Te retiraste sin miramientos y sin avisarme:

- Ouch!".

Me encontré con el culo abierto, reventado, pero no me moví de mi posición, me costaba mucho recuperar el aliento. Moviste una silla a mi derecha, otra a mi izquierda, cogiste cada pierna y colocaste mis rodillas en las sillas, todavía apoyadas en la mesa, todavía aferradas. Mis rodillas estaban ahora sobre dos sillas, mi culo aún más arqueado, más alto, más ofrecido, más abierto. Me llevaste de vuelta sin avisar, tu gran polla entrando de golpe, desgarrando mi garganta ante la magnífica hembra que entraba con una brutal sacudida hasta abajo, hasta que mi culo se aplastó contra tus pelotas.

Ibas tan rápido, tan fuerte, que podía sentir cómo se licuaban mis intestinos, ahora no podía sentir su venida porque mi ano estaba tan resbaladizo, sólo podía sentir los empujones en el fondo.

Aceleraste el ritmo aún más, más rápido, más fuerte, hasta que empezaste a gritar, empujándome tan fuerte como podías contra él una última vez.

Me explotabas en el vientre.

Gritaba al mismo tiempo, tanto que sentía tu enorme glande presionado profundamente en mi vientre, haciéndome daño. Se sacudió, haciéndome gritar de nuevo....

Quedándote ahí unos segundos, recuperándote, mientras a mí me seguía doliendo tu polla pegada al fondo. Yo seguía gimiendo. Cogió mi polla con la mano, y manteniendo la presión sobre mi culo, empezaste a chupármela rápidamente. Exploté en menos de 10 segundos, sacudiéndome, con un grito cada vez, cada sacudida haciéndome sacudir, cada sacudida haciéndome sentir su sexo profundamente dentro de mí con dolor, cada dolor haciéndome gritar y explotar un nuevo chorro, un nuevo chorro que me hizo moverme sobre tu polla, hasta que no pude más y me retorcí para que sacaras tu mano de mi polla y tu polla de mi culo.

Te retiraste lentamente y te colocaste detrás de mí. Permanecí tumbado sobre la mesa, todavía gimiendo, con las manos sueltas, sacudiéndome y haciendo espasmos, con la polla colgando entre mis piernas abiertas, con gotas de semen todavía escapando, con el culo todavía ofrecido, revelando el agujero abierto de mi ano completamente dilatado.

No podía recuperarme, el semen caliente que fluía de nuestros orificios lo esparciste en mi espalda, después de un minuto así seguía tumbada recuperando el aliento.

Finalmente, me senté y viniste a acariciar mi sexo por última vez:

- Vamos, que nos merecemos una buena ducha!

En la habitación y me senté. Me llevó unos 30 minutos superarlo. Todavía lo sentí durante mucho tiempo en mi vientre, estaba bien, me sentía sucia pero lo había disfrutado mucho.

Un pequeño chantaje vacacional convertido en un placer ocasional!

Soy un bisexual de 32 años, actualmente tengo una relación con una mujer, pero una parte de mí todavía se siente atraída por los hombres. Pero con los pocos amantes que he tenido he practicado exclusivamente la felación acompañada de caricias.

Te contaré mi primera experiencia con un hombre, ¡que también fue la primera para él!

El año en que cumplí los dieciocho años no empezó muy bien. Me acababa de dejar mi novia y, para colmo, tuve que repetir el último curso. Como resultado, me vi privado de unas vacaciones al sol en el sur de Francia con mis compañeros. Me aburrí durante todo el mes de julio, mis amigos se habían marchado todos, y al estar soltero de nuevo, a veces me divertía viendo películas porno.

Me gustaban especialmente las escenas de mamadas y admiraba el tamaño de los miembros de los actores porno y a veces pensaba: "Hmmm, ¡yo se la chuparía a ése! ".

Luego, en agosto, tuve la oportunidad de ir a Bretaña durante 3 semanas. No me entusiasmaba mucho porque iba a ser con los vecinos: Gwenaëlle, de 46 años, y su marido Willy, de 48. Los conocía bien, ella era una persona hogareña y él era un aficionado a la pesca y al ciclismo. Me pregunté qué haría allí. La única razón que me convenció para ir fue encontrar a una chica y pasar un buen rato.

Al llegar tarde al camping, mis vecinos en una gran caravana y yo en una tienda de campaña al lado, sólo el segundo día conocí a otros jóvenes. Durante este tiempo, la señora juega a las cartas y a la petanca mientras el señor va en bicicleta en grupo. Observé a Willy, que es un poco más alto que yo y fuerte, con un maillot de carreras y un pantalón de ciclista que se ajustaba bien a su gran paquete. Yo miraba en silencio, pero era emocionante.

La tarde del tercer día salí a dar un paseo por el campamento con los demás jóvenes para intentar hacer una novia. Gwenaëlle se había ido con unos amigos a la playa, mientras que Willy prefirió quedarse en la caravana para echarse una siesta.

Un poco más tarde, sediento, volví al campamento para beber algo. Cuando abro la puerta de la caravana, encuentro a Willy sólo con una camiseta de manga corta y los pantalones en los tobillos, ¡tomando a uno de los vecinos de nuestra parcela a lo perrito! Willy se echa hacia atrás y trata torpemente de subirse los vaqueros, en el proceso vislumbro su enorme polla, y el vecino se esconde avergonzado por la situación. Sorprendido, salgo y me voy. Willy no tarda en ponerse al día y, confundido, trata de justificarse admitiendo que su mujer no tiene muchas ganas de sexo y que la vecina ha sido su amante de vacaciones durante algunos años. Me ruega que no le diga nada a Gwenaëlle y me promete todo lo que quiera a cambio. Así que aproveché la oportunidad y le ofrecí un trato: ¡prometo actuar como si no hubiera pasado nada siempre que acepte que se la chupe!

Completamente sorprendido a su vez me dijo que ya no entendía nada. Se preguntaba por qué quería chupársela si hasta ahora sólo me había visto con chicas. Intenta convencerme de mi heterosexualidad, pero le respondo que es mi fantasía más profunda la que quiero cumplir. Luego me pregunta si tengo alguna otra sugerencia respecto a su oferta y me dice

- ¿Aún así? ¿Te das cuenta de la diferencia de edad? 30 años de diferencia, ¡yo tengo 48 y tú 18! "

Le digo que puede tomarlo o dejarlo. Nos vamos por caminos distintos.

Cuando Gwenaëlle vuelve al final de la tarde, me quedo en mi tienda para hojear las revistas y no asustar a Willy. Viene a verme y me pregunta si quiero ir de compras con ella. Le digo que prefiero quedarme en mi tienda para descansar. Se va.

Alrededor de un cuarto de hora después de su partida, inmerso en mis acalorados pensamientos, ¡Willy viene a buscarme a mi tienda para decirme que ha aceptado el plan de chupar que le había propuesto unas horas antes! Le sigo hasta la gran caravana, cierra la puerta tras de sí y me invita a pasar al salón.

Estaba nerviosa y extremadamente excitada ante la idea de chupar a Willy! Sentados uno al lado del otro, bastante tensos, empecé a meter la mano en su paquete y sentí que ¡ya estaba empalmado! Entonces me coloqué frente a él, entre sus piernas, y empecé a desabrocharle el cinturón. Luego le desabroché los vaqueros y le bajé la bragueta. Metí la mano en su ropa interior y la acaricié, luego saqué el artilugio de 22 cm de largo, un enorme glande rosado que me estaba esperando y un par de pelotas muy grandes.

Empiezo a masturbarle lentamente mientras me mira un poco avergonzado y luego pongo delicadamente mis labios en su gran polla que beso varias veces.

Yo también me estaba empalmando ante esta enorme polla, ¡estaba súper caliente! Luego deslicé mis labios por su polla varias veces antes de subir a su glande, que excité agitando mi lengua sobre él a toda velocidad y, para calentar un poco más a Willy, hundí la punta de mi lengua sobre el agujero de su hermoso glande. La mirada avergonzada de sus ojos era de placer y excitación, sus ojos me lo decían:

"Adelante, toma mi polla, chúpala. "

Finalmente, decidí dar rienda suelta a mi fantasía cogiendo su polla en mi boca y moviéndome lentamente dentro y fuera de su polla con pequeñas aceleraciones ocasionales, ¡cuidando de quedarse en su enorme glande! Gimió de placer y suspiró el tradicional "¡Oh, sí!" y poco a poco le daba menos vergüenza ver cómo le bombeaba la polla. Al contrario, cada vez disfrutaba más y hasta me sorprendió cuando empezó a acariciarme la cabeza mientras le chupaba la polla con avidez! No podía creer que le estuviera haciendo una gran mamada a mi vecino Willy!

A veces me detengo y le pregunto si le gusta, a lo que responde:

"Sí, es bueno, hmmm, sí... ".

Después de más de veinte minutos me dice que está listo para correrse y que la eyaculación es inminente. Entonces acelero el ir y venir sobre su glande mientras lo masturbo sincronizadamente y me retiro justo a tiempo para que salgan varios chorros calientes de semen que él envía directamente sobre mi camisa y luego unas últimas gotas de semen sobre su camisa y sus brazos mientras le masturbo la polla intensamente! Le dejé saborear el placer que había experimentado y le pregunté si lo había disfrutado.

Me sonríe tímidamente y admite que ha sido uno de los mejores orgasmos que ha tenido. Al mismo tiempo se disculpa por haberme chorreado toda la camisa y le aseguro que el placer fue todo mío.

Al cambiarnos de ropa, lo que delataba nuestra íntima relación, dejé claro que tenía la intención de aprovechar su polla durante las tres semanas de vacaciones! No se negó, sino que se limitó a decir que teníamos que reflexionar sobre nuestros actos porque en casa no podíamos continuar con esta relación.

Después de que me diera a probar el placer de su sexo, me di cuenta de lo mucho que disfrutaba masturbándose y ¡tenía toda la intención de hacer que la polla de Willy dependiera de mi boca!

Al día siguiente me ofrecí de nuevo a chuparle la polla y le propuse ir a un rincón tranquilo para pasar un buen rato caliente. Entonces empezó a intentar discutir de nuevo nuestra situación, pero se me ocurrió una gran idea: le sugerí que llegara hasta el orgasmo dejando que se corriera en mi boca. Tardó dos minutos en coger las llaves del coche después de que aceptara, un poco avergonzado, dejarme probar su semen. Vamos!

Encontramos un lugar bonito y apartado, salimos del coche y él se sienta en el capó. Me arrodillo y empiezo a trabajar en su polla, que ya estaba atenta. No estaba tan avergonzado como el día anterior, lo que era una buena señal de que podríamos chupársela durante toda nuestra estancia en Bretaña.

Me gustó aún más la idea de tragarme todo su semen! Poco antes del orgasmo, Willy me preguntó si quería tragar su semen, a lo que respondí muy favorablemente.

Acelero el ritmo y me dice:

"Sí, sí, sube. Hmmm, ¡sí!

Entonces abrí bien la boca y saqué la lengua para recibir sus potentes chorros de semen que me tragué y volví a chupar. A continuación, se agitó con unos espasmos de placer y yo estuve al acecho de la más mínima gota de esperma que me tragué sistemáticamente hasta que vació por completo sus grandes pelotas.

Al volver a entrar en el coche, me sorprendió gratamente escuchar a Willy decir

"Si quieres, ven a pescar conmigo mañana, ¡lo pasaremos bien! ".

Así que se la chupé a Willy durante todas las fiestas, a veces hasta dos o tres veces al día, e incluso puedo decir que continuó después durante algunos años, porque la última vez que se la chupé fue en Nochevieja, cuando él tenía 55 años y yo 25.

Por supuesto, nuestra intimidad era mucho más espaciada en casa, pero mis momentos favoritos eran las tardes de verano en el fondo del jardín, cuando bombeaba a Willy a través de la valla. Qué buenos y cálidos recuerdos.

Humillado por sus compañeros de trabajo

Daniel, de veintiocho años, un apuesto atleta de un metro ochenta y ochenta y cinco kilos, trabaja en una empresa de importación y exportación como vendedor.

Son seis los que trabajan en la misma sala, donde se procesan todos los expedientes por ordenador.

Ahí está Max, de un metro setenta, setenta y cinco kilos, en la cuarentena, y tres mujeres, ordenadas por CV, por tanto más que presentables. Tienen entre veintidós y veintiocho años.

En el despacho de al lado está Carole, jefa de personal.

Daniel está casado con Raquel, de veintidós años, una conocida ninfómana del departamento. No duda en mandarlo a la cama cuando le gusta un macho. Los compañeros de trabajo se burlan un poco de Daniel por esto.

Daniel y Marc compiten en el trabajo. Daniel suele obtener mejores resultados.

Dos veces por semana, la empresa ofrece un gimnasio para que el personal pueda recargar las pilas.

Incluso en este ámbito, Daniel es superior a Marcos.

¿Por qué no os medís entre vosotros?", sugiere una secretaria. Amistosamente, por supuesto, sin ningún tipo de negocio divertido.

Sería divertido ligar con otra chica.

Daniel sonríe.

Es Marc quien decide", dice Daniel, "para mí está bien.

A qué me arriesgo", responde Marc, "tendré la excusa de ser el mayor.

Somos árbitros", dice Carole.

Los dos hombres, con pantalones cortos, se enfrentan.

Un ataque mal negociado envía a Daniel al suelo.

Marc se abalanza sobre él y lo bloquea poniéndole un rodillazo en la espalda.

Entonces, ¿cómo lo hacemos? pregunta Marc.

Desnudos, gritan las chicas.

Eso no es una estupidez", dice Marc. Qué humillación sería.

Suéltame -refunfuña Daniel-, me haces daño. Lo habrías visto si no hubiera resbalado.

Marc golpea las nalgas de Daniel, separa el elástico de los calzoncillos y los baja hasta los tobillos.

Vamos a ver si estáis bien montados", dice Marc.

Marc le hace rodar sobre su espalda y termina de dejar los calzoncillos.

No es genial", dice Marc. Para un hombre de su tamaño.

Es cierto", dice Carole, "hemos visto cosas mejores. Tal vez por eso su mujer se va a follar a otra parte.

Por reflejo, Daniel pone las manos delante de su anatomía.

Marc le coge de la oreja y se acerca a una silla.

Se sienta y obliga a Daniel a tumbarse en su regazo.

Y entonces empieza a azotarla.

Las chicas se mueren de risa.

Después de cinco minutos, las nalgas de Daniel están doloridas.

Rojo.

A lo largo del tratamiento, Daniel intenta protegerse

Con las manos, rogando a su colega que se detenga.

Pero Marc decidió llevar la humillación un paso más allá.

Agarra las pelotas de Daniel y las hace rodar por el suelo.

Los testículos entre sus dedos, apretando ligeramente.

Ouch, ouch, para, gilipollas, grita Daniel, suéltame, no lo volveré a decir.

Oh, oh, cálmate", responde Marc, "no estás en condiciones de poner condiciones.

Efectivamente, Daniel se calma, pero no por las mismas razones

Los motivos. El toque de Marc es más preciso, y

Daniel no es insensible a las caricias.

Oh, pero tu polla se está poniendo tiesa -sonrió Marc-. No estarías disfrutando. Venid a ver, chicas, cómo voy a ordeñar a este vicioso.

Las chicas se acercan riendo.

Marc se moja los dedos y desenreda el glande de Daniel.

Jaja", suspira Daniel

Marc comienza sus movimientos de ordeño. Incluso acaricia el agujerito con un dedo y luego lo lleva a la boca de Daniel.

Toma, mójalo un poco, te dolerá menos.

Cabrón -gimió Daniel-, tú también quieres follar conmigo. Sigue adelante.

Daniel es totalmente sumiso. Es con un aullido de

Placer que eyacula en el suelo.

Joder, cómo me has hecho la paja, ja, déjalo sin rematar, estoy bien así. Rasca la punta, por favor.

Las chicas aplauden.

Carole se acerca a él y le levanta la cabeza.

Parece que te ha gustado, mariconcito. ¿Has visto cómo ha hecho llorar a tu pájaro? La próxima vez le pediremos que te coja.

Marc le hace rodar hasta el suelo. Poco a poco, la cola de Daniel se ha enroscado.

Aquí, chicas, si queréis divertiros, todavía hace calor.

Daniel se levanta y trata de escapar. Pero las chicas lo agarran por las partes sensibles de su cuerpo.

Marc se escabulle y pega la oreja a la puerta. Escucha las risas de sus compañeros, pero también los gritos y las quejas de Daniel. Incluso algún llanto.

"Pobrecito", pensó Marc.

Jodido por mi jefe

Hola, me llamo mat, tengo 25 años y soy representante en una pequeña empresa familiar. Siempre viajo sola, excepto hoy, que es un asunto muy importante, así que mi jefe viaja conmigo. Es un hombre de 55 años, alto, panzón, rudo, encanecido, no atractivo pero muy carismático. La reunión había ido mal y mi jefe estaba muy molesto. Cuando llegamos al hotel, mi jefe preguntó por las habitaciones que habíamos reservado y la recepcionista dijo: "Lo siento, no voy a poder hacerlo:

Lo siento, señor, pero hemos tenido un problema con sus habitaciones, sólo nos queda una habitación doble.

Mi jefe, que ya estaba enfadado por la reunión, armó un escándalo y finalmente se calmó y me lo dijo:

Si no te importa dormir conmigo, tomaremos la habitación.

No me atreví a decirle que me molestaba, pero en realidad no tenía otra opción.

Después de comer, alrededor de las 10 de la noche, le dije que me iba a duchar e ir a la cama. Ya había bebido mucho y quería tomar más digestivos. Cuando volví a la habitación, encendí el ordenador para entrar en un sitio de citas gay, ya había chupado dos veces y tenía muchas ganas de volver a hacerlo. Había encontrado un anuncio que me excitaba y me iba a hacer una paja en la ducha. Mi jefe entró en la habitación cuando me estaba limpiando y me había olvidado de apagar el ordenador y vio los anuncios.

Mat, sal del baño.

No, todavía estoy desnudo.

Inmediatamente! en un tono muy agresivo.

Estaba saliendo con la toalla alrededor de la cintura cuando me dijo:

¿Así que quieres chupar? Olía a alcohol.

¿Qué quieres decir? (Estaba fingiendo que no me importaba)

¿Qué son estos anuncios, mariconcito?

No sé, tal vez anuncios.

Me ordenó que me quitara la toalla.

Tienes un bonito culo de zorra, vamos a divertirnos.

Te equivocas, te lo juro! (Tenía miedo de que me despidieran)

Ven aquí y arrodíllate ante mí. Se bajó la bragueta y sacó un sexo bastante largo y grueso que aún estaba blando y olía a orina, lo que me excitó mucho. (Pero no lo mostré)

Vamos, chúpate esa mierda.

Tomé su sexo en mi boca y después de unas cuantas veces pude sentir cómo crecía y mi jefe sentía cada vez más placer mientras ponía sus manos detrás de la cabeza y me follaba la boca:

- Te gusta esa polla, ¿eh? Contesta, perra.

- Sí, es bueno.

Podía sentir su respiración cada vez más fuerte y liberó todo su semen en mi boca.

Vamos, trágatelo todo perra.

Lo que hice con una floritura (no me gusta tragar). Me ordenó que me duchara de nuevo mientras él iba a tomar una copa. Estaba en la cama cuando llegó, se desnudó y lo vi desnudo por primera vez. Su cuerpo era blanco y peludo, con un vientre bastante fuerte. Se acostó a mi lado y puso su mano en mi muslo.

Vas a ser muy amable conmigo esta noche, o puedo despedirte si quiero. Dame un beso.

Apestaba a whisky y me metió la lengua en la boca mientras me acariciaba las nalgas.

Esta noche vas a ser mi perrita. Ven a limpiarme la polla, maricón.

Tenía restos de semen de antes, y lo estaba chupando con avidez cuando me detuvo.

Ponte a cuatro patas.

Pero nunca lo he hecho!

A cuatro patas he dicho!

Me acarició, me lamió las nalgas y me metió uno y luego dos dedos en el culo. Me decía que te voy a hacer gritar, perra.

De repente sentí su gran glande forzando mi ano, me dolió y le rogué que parara.

Cállate, he dicho que te voy a follar.

Puedes sentir mi gran polla de puta.

Sí, pero duele demasiado

Espera, acabo de recibirlo. Ahora vas a gritar por algo.

Me follaba con fuerza, yo era su piscina de bolas y cada vez me daba más placer

Te gusta que te follen como a una perra, perra.

Entonces me sacó del culo y me dijo:

Chúpame y saborea tu culo de lo bueno que es.

Lo estaba chupando pero me estaba escuchando.

Ahora te tumbas de espaldas y abres los muslos como un pollito.

Se metió entre los muslos y me estuvo machacando el culo, cada vez me dolía más y le excitaba ver mi cara tensa de dolor.

Llevaba unos diez minutos sufriendo sus embestidas y salió de mi culo para correrse en mi cara mientras yo me corría:

Haaa, toma esa perra, lámela, bombea hasta la última gota.

Tenía la cara llena de semen y me dijo:

Ve a lavarte ahora perra y tengo buenas noticias para ti.

Ya veo! ¿Cuál es?

Ahora vamos a hacer todos los viajes juntos y tú serás mi trasero.

Chico de compañía

A raíz de una conversación con un amigo mío, decidí convertirme en chico de compañía hace dos años. Al principio era tímida, poco emprendedora, pero ahora voy directa a por ello y me cojo todo lo que se me ofrece. El boca a boca hace maravillas, tengo una libreta de direcciones bien surtida.

Mis clientes pueden ponerse en contacto conmigo a través de mi móvil a cualquier hora, tanto de día como de noche.

Ofrezco mis servicios tanto a hombres como a mujeres, soy totalmente bi.

Suena mi teléfono, un habitual, Marc, me pregunta si estoy disponible inmediatamente para un plan Q sin complicaciones. Nuevo escenario, precio fijado, me apresuro a hacer el viaje.

Llego delante de la casa con un traje y una corbata con una gran cuota y mi maletín. Su mujer, con la pierna escayolada, me saluda y me dice que su marido me espera en el sótano, cerca de la caldera. Como puedes ver, estoy haciendo de representante de la calefacción.

Bajé las escaleras a tientas, una pequeña vela al fondo de la habitación, en el suelo, me permitió ver a Marc desnudo, a cuatro patas. Me desnudo y camino hacia él. Me coloco detrás de él, de rodillas, y empiezo a lamerle la raya de abajo a arriba, y luego introduzco la lengua lo más posible en su agujerito. Le encanta y empieza a gemir. Me detengo y le relleno la boca con el tanga para obligarle a ser discreto. Su mujer sigue arriba. Retomo mi posición y vuelvo a escupir en su agujerito, luego empiezo a introducir un dedo de una sola vez que le hace chillar como una niña, su sexo fluye de excitación como una fuente. Recojo el líquido con la otra mano y lo lamo. Le meto los dedos vigorosamente, y luego empiezo de nuevo con dos dedos. Con todas mis fuerzas lo follo con los dedos, él suspira, y con su agujero bien abierto me detengo y vuelvo a lamerlo mientras lo masturbo suavemente para no hacer que se corra ahora. Me hace entender que reanude la penetración con mis 4 dedos. Cada vez que grita de felicidad por no poder gritar. Después de una ½ hora a este ritmo, se levanta y me pasa una pala babosa por encima y baja a mi polla para masturbarme. No hace falta que me descalce, mi polla está mojada y mi glande descalzo y brillante. Me masturba enérgicamente, me chupa bruscamente, luego escupe mi humedad sobre su mano derecha y me excita el ano mientras me chupa. No me resisto y suelto todo mi semen en su boca, que se traga sin inmutarse.

Ahora es el momento que estaba esperando, me tumbo en el suelo, me levanta las piernas, luego me penetra el ano lentamente, milímetro a milímetro, es divino, su polla sigue entrando, mi sexo se fortalece. Finalmente siento sus pelotas contra mi culo. Su polla llena mis entrañas rectales hasta el borde. Todavía inmóvil, Marc me besa y luego empieza a entrar y salir, con su enorme polla deslizándose dentro y fuera de mi culo completamente abierto.

Me lima rápidamente, yo chillo, él coge su tanga, se limpia la parte sudorosa del culo y luego me lo mete en la boca para que no grite. Aquí tenemos una buena sodomía brutal, como a mí me gustaba. Esos cojones golpean contra mi culo, nuestros cuerpos sudan, me acaricio la polla, me deslizo por el suelo, esos golpes de polla me provocan una onda, una vibración que me hace vibrar, agitarse y mi sexo vuelve a eyacular en largos espasmos. Marc eyacula en mi culo y luego se desparrama sobre mí sudando. Me quito el tanga de la boca, él adelanta su sexo de mi boca y se lo mete para limpiarlo a fondo. Su mujer nos interrumpe en esta maravillosa mamada olfativa enviando a su perro al sótano. Marc se viste rápidamente y me dice que espere. Le oigo subir las escaleras. Su Perro se acerca, me mira con extrañeza, estira el hocico y empieza a olfatearme, lo alejo, luego me lame la pierna y sube lentamente hasta mi culo chorreando el semen de su amo.

Estoy caliente, abro las piernas y entonces este vicioso empieza a lamer mi ano dolorido. Al instante, mi sexo repunta, y empiezo un nuevo trabajo manual. Inmediatamente me masturbo, la perra me lame el glande y engulle todo el semen, es divino. Llega Marc y me besa de nuevo y me da mi dinero, me visto y me apresuro a revisar mi buzón.... Quizás otro cliente, y sí 3 mensajes. Continuará

Mi primera pipa de sumisa

Hoy tengo una cita con un hombre maduro para chupar por primera vez.

Tengo 18 años y soy bi. Durante mucho tiempo fantaseé con la idea de chupar una gran polla, pero nunca di el paso y hace un mes publiqué un anuncio para encontrar mi primera polla. Este hombre vio mi anuncio en la red. Me envió un correo electrónico para obtener más información y saber si estaba bien teniendo en cuenta su edad (50 años). Se describió a sí mismo como un hombre experimentado dispuesto a iniciar a un joven. Nos encontramos en una calle tranquila de la ciudad donde ambos vivimos antes de ir a su casa. Llegó en su coche dos minutos después que yo. Yo me meto. Me pregunta si todavía estoy bien. Le digo que sí. Arranca el coche y al cabo de 5 minutos estamos en su casa. Cierra la puerta principal detrás de mí y me dice que me ponga cómoda. Toma un vaso de whisky y se sienta en la silla.

- Vayamos ahora al grano", dice.

Le respondo con un tímido sí. Estoy muy entusiasmado con este hombre grande, gordo y peludo (90 kg).

Se arrodilla y me huele la entrepierna. Lo hago, temblando de indecisión, y me pongo a cuatro patas, muevo las nalgas hacia él y meto la cabeza entre sus muslos. Huelo su paquete. Huele a hombre.

Con una mano me agarra la cabeza y la empuja más abajo de mis muslos, puedo distinguir la forma de su polla a través de la presión sobre mi cara. Con su otra mano me amasa las nalgas a través de mis vaqueros. A menudo me dicen que tengo un buen culo, un culo de chica.

Hmm mira como te estoy frotando el culo, chica. Te gusta en manos de un viejo pervertido.

Me quita los vaqueros y ve la ropa interior femenina que me pidió que me pusiera. A saber, un tanga, unas medias y un liguero

- ¿A quién le robaste esas bragas traviesas?

- a mi hermana mayor.

- es una zorra como tú, ¡debe haber chupado alguna polla! ¿Te has masturbado alguna vez con tu hermana?

No, ¡nunca!

Siento en mi boca que su sexo ha aumentado de tamaño, empieza a respirar más fuerte.

Quítame los pantalones, dijo.

Me estremezco mientras amasa y abofetea mi culo cada vez más fuerte. Me tira del tanga y juega con él, golpeándolo contra mi agujero. Sus calzoncillos ocultan una impresionante polla, que empieza a ponerse dura, se puede adivinar fácilmente el tamaño de su artilugio a través de la fina tela. Coge las dos manos y me presiona en la cabeza "lame". Le lamo la polla a través de su ropa interior. Me pregunto qué estoy haciendo. Estoy lamiendo la ropa interior de un hombre que podría ser mi padre, quiero irme y pedirle que me deje ir, ya no estoy seguro de nada, no soy gay, tengo una novia que le gusta a Jaime. Pero él se niega: "ahora que me estás excitando, no creas que te vas a librar de dejarme con la polla erecta". Con una mano sigue presionando sobre mi cráneo para sujetar mi cabeza, y con la otra desliza sus calzoncillos hacia abajo. Su polla sale disparada y toca mis labios, su glande besa mis labios. Es duro y debe tener 20 cm de longitud. Se quita la camisa y deja al descubierto su gran vientre peludo.

Ya sabes lo que tienes que hacer.

Dudo, pero me doy cuenta de que mi polla se ha salido del tanga de encaje que llevo puesto, ya que está muy dura. Con una mano lo masturbo mientras su glande toca mis labios.

Me dice mientras se levanta. Su polla entra lentamente en mi boca. Aquí está, tengo mi primera polla en la boca, y qué polla es.

- Vamos, chupa! Chúpate esa. Chúpate esa!

Me besa la boca mientras me sujeta la cabeza entre sus dos grandes manos.

-abre más. Traga con fuerza. Mueve la lengua. ¿Te gusta eso, perra? Contesta!

Sí.

- Te gusta chupar pollas de 40 años, ¿verdad? Así es! Realmente querías chuparla! Sigue follándome la boca mientras me insulta como a una puta maltratando mi cabeza con sus manos de leñador.

Me dice "¡Bueno, vas a lamerme un poco las pelotas! ". Así lo hice, tenía sus pelotas peludas en la boca. Los empujó hacia dentro.

Tras unos minutos de esta tortura me suelta y me pide que le siga. Nos lleva a su despacho y se sienta en una silla.

-vas abajo tengo una cosa que hacer. Lame mis pelotas mientras escribo un correo electrónico para el trabajo.

Las lamo, son peludas y huelen bastante fuerte. Puse mi lengua en ellos, lamí, chupé y chupé su trasero.

-Eso es bueno, sabes que puedes hacerlo perra. Mira que se me ha puesto dura la perra. Ponte a cuatro patas.

Me quito el polo y me pongo en posición. Me pasa la polla por todo el cuerno, la espalda, las medias, entre las nalgas y el tanga, por el cuello, por todas partes. Me da una palmada con su polla en la cara.

Vuelve al trabajo y chúpamela perra. Le chupo la polla, se la lamo y me la meto hasta el fondo de la garganta. Siento que su polla toca el fondo de mi garganta. Probablemente no sea suficiente para él, ya que fuerza y folla mi boca. Va cada vez más rápido, siento que se corre, me sujeta la cabeza con firmeza mientras intento sacar su polla - aguanta perra, toma mi néctar perra. Oh sí tus buenas putas asquerosas, voy a desflorar tu boca perra. Y ciertamente no es la última polla que admirarás. Ooooohhhh tragar tragar. Te gusta ese semen, puta sumisa. Has nacido para servir a los hombres y chuparles la polla. Su semen brota en mi boca, está caliente y huele bastante fuerte. Me sujeta la parte superior de la cabeza y la barbilla. Y me obliga a tragar. Representa su polla para mí. Limpia a la zorra.

Obedezco y lamo su glande y el semen que queda. Está toda limpia. Ya ves que te gusta, te empalmas como una zorra. Pon mis pelotas y mi polla en tu boca. Todo debería encajar ahora que está dura. Me hace ponerme en cuclillas bajo el escritorio con su sexo flácido en la boca mientras él se sienta en su silla. Mantén todo en tu boca perra que tengo que responder a un correo electrónico. Después de 5 minutos siento que sale un poco de orina de su pene. Me pide que me lo trague. Me trago su orina, me da asco, me levanto y empiezo a ponerme los vaqueros. No creas que te vas a librar ahora, sólo me he corrido una vez. Mira, eres tú en el vídeo. Nos he filmado. Podría enviárselo a tu madre y a tu novia, ¿qué te parece? No, por favor, no saben que soy gay, me da vergüenza. Vamos, enciéndeme y luego muévete, acaricia tus medias. Baja suavemente el tanga. Hago todo lo que me pide. Vuelve a suplicar. Vamos, pon tu culo contra mis piernas, zorra.

Mira cómo se desliza mi polla entre tus nalgas, chupapollas. ¿Lo quieres en tu agujerito virgen, zorra? No se me pone dura sólo de imaginar que voy a sacarte el culo. ¿Dime que lo quieres? No lo quiero", dije llorando. Acordamos una mamada y ya has ido demasiado lejos. Tengo que irme, lo siento. -no traga esperma, ¿quieres que le enseñe a tu madre a tragarte? Vete a la mierda con este vídeo. Coge a este primo, ponlo en el suelo y pon tu puta boca sobre él. Lo hago él tira de mi culo hacia él y pone un condón en su pene de ocho pulgadas de largo. Pone su glande en mi ano y espera unos segundos. Me mira el bajo vientre y ve que mi tanga está estirado al máximo. Te gusta aunque no quieras admitirlo. Tu interior conoce tu verdadera naturaleza: ¡chupapollas! Mientras respondo un apagado "no, por favor" de mi primo, él empuja, su glande y parte de su polla entran en mi agujero virgen. Grito cuando me levanta la cabeza y me golpea contra el cojín. Lloro mientras sigue introduciendo sus 20 cm en mi agujero. Después de un montón de idas y venidas siento su vientre en mi culo.

El cabrón ha introducido sus 20 cm completos en mi agujero sin mi verdadero consentimiento. Hum eres toda una zorra apretada, me encanta desvirgar a mariconcitos como tú. Soy bueno para las tías buenas, quiero quedarme ahí y no moverme. ¿Te gusta tener una gran polla en tu agujero? -Duele. -pero eres un maricón empedernido. Te voy a masturbar un poco para que te corras y luego te voy a follar fuerte para que te corras sólo con el culo. Mientras aún tenía toda su polla en mis pequeñas nalgas de mujer, me masturbó durante unos minutos. No tardé en correrme. Me hizo lamer mi propio semen mientras me presionaba la cabeza. Estaba realmente asqueado, ahora que me había corrido no estaba nada excitado, me sentía mal y tenía ganas de vomitar. Mientras tanto, mi ano se había tensado ligeramente sobre su sexo, él reanudó sus movimientos e irritó mi ano con tanta fuerza que me folló. No sentí ningún placer, el dolor era demasiado.

Eres una perra muy buena, siento que tengo un culo de perra en mis manos, me encanta tu culo de niña. Clap clap clap sus pelotas me golpeaban el culo. Por favor, para, me está quemando. - es normal para una primera vez. Voy a desnudarte antes de que muchos hombres se aprovechen de ti, maricón. Dime que te sientes honrado de que haya accedido a ocuparme de tu agujero de chupar. -Por favor... -Dile a tu amo, perra. - Gracias maestro. - Gracias por ser una puta. -gracias por sodomizarme, por permitirme chupar. En esta última frase me abofeteó. -Eso es bueno perro, aprendes rápido. Siguió follando "mi coñito", como dijo, durante lo que parecieron interminables minutos. Mientras iba cada vez más rápido, se retiró y con un rápido movimiento se quitó el condón que llevaba. Me agarró del pelo y colocó mi cabeza bajo sus pelotas. - Pídeme mi semilla tragadora de esperma. -svp. Me abofeteó y me metió los dos cojones en la boca -

manteniendo las aguas calientes- y los limpió con pequeños golpes de lengua. Se masturbó sobre mi cara y eyaculó sobre mi frente, mi nariz, mis labios, mi pelo. Estoy en todas partes. -sonríe. No lo vi venir y me hizo una foto con la cámara de su escritorio. Si no quieres que imprima esta foto para tu novia, cogerás el semen con esta cuchara y te lo tragarás. -svp - ¡no discutas o no dudaré! Recogí todo el semen y me lo tragué. Tenía ganas de vomitar. - Te ves como una puta de esperma. Sígueme y lávate. Me quitó el tanga y las medias y me metió en la bañera. Aclárate. Cogí la alcachofa de la ducha y me pasé a Leau por todo el cuerpo. Cerró el agua y me agarró del hombro para ponerme delante de él.

Abre la boca y cierra los ojos. Un chorro de orina caliente me golpeó la cabeza, el pelo, y me entró un poco en la boca. Lo escupí inmediatamente. Dejó de mear y me abofeteó. Tienes que tragarte mi orina como lo haría una verdadera perra. Me agarró la barbilla y me abrió la boca. Deslizó su duro pene en mi boca y cerró mis labios. Me lo voy a tomar con calma para que tengas tiempo de tragártelo todo, zorra cabreada. Orinó a pequeños chorros mientras se contenía. Se aseguró de que tragara bien. Afortunadamente, terminó rápidamente, pero me había tragado toda su orina. Se fue y me pidió que le diera un suave beso en el glande.

Lo hice y cerré los labios sobre él. Deslicé su glande suavemente y me dejó ducharme e irme. No dije nada al salir, pero este pervertido me dijo un "hasta pronto, zorra" mientras me manoseaba el culo por última vez y tiraba del cordón de mi tanga. Abrí la puerta y volví cojeando a mi casa.

Mi primera vez... ¡¡¡Intensa!!!

Déjame que te cuente mi primera experiencia homosexual. Pero lo que fue la primera vez, lo entenderás mejor después.

Soy un hombre heterosexual de 24 años, con una relación reciente.

Y el verano pasado, estando todavía soltera, decidí intentar una aventura con un hombre.

Navegando por los sitios de citas, me encontré con un perfil que me pareció bastante bonito. Además, mi "presa" pone varias fotos de su pene erecto.

Me imagino esta hermosa vara de unos veinte centímetros en mi boca, luego en mi culito... Incapaz de aguantar más, me pongo en contacto con él. Le envío un mensaje diciéndole que quiero que me deje descubrir todo.

Unas horas más tarde, me dice que podría ocurrir este fin de semana. Hay que esperar dos días antes del sábado, pero confirmo para el sábado.

Después intercambiamos unos cuantos mensajes más, cada uno más caliente que el anterior.

Llega el sábado y me arreglo. Luego voy a nuestro lugar de encuentro para tomar una copa, antes de ir a su casa.

No dejo de mirarlo, es tan lindo. Un chico guapo de unos treinta años, bien musculado, con cuerpo bronceado, ... Wow

Luego nos vamos a su casa, y en cuanto se cierra la puerta, empezamos a besarnos incansablemente. Las lenguas se atan, el deseo aumenta, ... Me siento como si me invadieran. Yo mismo nunca me he sentido así.

Nos detenemos un rato para ir a su sala de estar. Nos sentamos en el sillón y nos besamos de nuevo.

Unos minutos después, me levanto para arrodillarme frente a él. Le abro las piernas y me deja. Entonces empiezo a desabrochar sus ajustados vaqueros. Veo una hermosa forma curvada bajo un par de bóxers negros, que bajo después de lamerlo.

Entonces veo una bonita y dura polla delante de mí. Empiezo a pajearlo suavemente, y luego meto mi boca ansiosa. Qué placer, sobre todo después de unos minutos en los que había salido un ligero chorro de semen.

También paso la punta de mi lengua por la raja de su miembro, y me dice que le gusta mucho. Entonces reanudo mi labor de chupar, para satisfacer a mi amante.

Luego nos desnudamos los dos. Y mientras nos besamos, nos masturbamos mutuamente. Es tan bueno que quiero más.

Entonces decido presentarle mi culo, que viene a lamer. Me pregunta si no se siente muy divertido. Le digo que sí, pero que nada me impedirá continuar, porque el placer es realmente demasiado intenso.

Entonces me pregunta si quiero que se ponga un preservativo. Dudo un momento y le pido que no se ponga. Tengo mi propia idea sobre lo que hay que hacer a continuación.

Entonces me coge por los lados, y siento su polla penetrarme. La sensación es extraña, pero pronto se convierte en temporal. Lo saca y lo vuelve a meter. Supongo que lo hace para excitar mi agujero aún virgen. Luego, vuelve a meterla y empieza a ir y venir. Empiezo a gemir, incapaz de contener mi excitación. Me aseguro de apretar un poco las nalgas para sentir aún más el contacto. Después de unos cinco minutos, retira su polla de mi raja. Aprovecho para darle las gracias con una buena mamada, y cambio de posición. Me tumbo de espaldas y él se tumba encima de mí. Su polla me penetra de nuevo, y vuelve a empezar. Aprovechamos la oportunidad para besarnos. Yo era su puta, que quería más. Cambiamos de posición unos minutos después. Soy yo la que está encima de él, y él sigue mandando sobre mí. Varias posiciones después, no podemos contenernos más.

Entonces le pido que suelte todo su semen dentro de mí. Es la primera vez que alguien se lo pide, así que acepta de buen grado.

Siento que el ritmo se acelera, y unos segundos después un líquido caliente invade mi culo. Qué sensación, qué felicidad, ... Es indescriptible.

Hasta que se vacíe, sigue rellenando mi culo. Entonces saca su garrote y lo lleva a mi boca para lavarlo. Los pocos mililitros de semen que recoge son demasiado buenos, y no puedo evitar tragar su semen.

Ahora me toca a mí quedarme vacío. Comienza a hacerme una mamada. Pronto me solté, incapaz de contenerme.

Mi amante lo atrapa todo en su boca, luego se acerca y me besa. Aunque sea mi semen, no me importa porque lo quiero una y otra vez. Y no dudo ni un segundo en tragármelo.

No puedo evitar meterme un dedo en el culo para sacar unas gotas. Bingo, tengo mi tesoro. Un lamido de mi dedo para tragar el semen de mi Apolo.

Es tan lindo que no puedo evitar seguir besándolo.

Acabamos de ponernos los calzoncillos. Aprovecha para tomar una copa y así poder relajarnos y charlar un poco. Me pregunta si he disfrutado de nuestro momento de intimidad. Lo confirmo y le pregunto lo mismo. Me dice que sí, sobre todo por el hecho de haber podido correrme en el culo de alguien. Que con otro hombre gay, probablemente no hubiera aceptado. Pero en un hombre heterosexual, es mucho más seguro.

Luego hablamos de nuestras experiencias sexuales, en voz baja. Luego hablamos de nuestras fantasías.

Le digo que me gustaría ser tomada por varias personas al mismo tiempo, para ser su puta. Pero sobre todo me gustaría probar la doble penetración anal.

Me pregunta si quiero volver a hacerlo, le digo que sí.

Me dice que para él es lo mismo. Pero que antes de nada, va a pedir ayuda para intentar satisfacer mi apetito sexual.

A continuación, se puso en contacto con sus conocidos bisexuales y homosexuales, contándoles el asunto. Cuatro de ellos respondieron favorablemente.

No me dice cuántos van a venir, pero dice que deben ser exquisitos. Bien, no puedo aguantar más, sabiendo eso.

Sus amigos deberían llegar en cinco o diez minutos. Les han dicho que entren directamente, y que probablemente estaremos en su habitación.

Al esperarlos, nos dirigimos y empezamos sin ellos. Empezamos a besarnos de nuevo, su mano invade mi pelo. Siento que mi miembro se endurece de nuevo, y el suyo, que acaricio, hace lo mismo. Entonces, mientras me quito los bóxers, aprovecha para ir a buscar algo en un cajón. Saca dos cosas: un vibrador grueso, de al menos 35 centímetros de largo, y un alargador de pene.

Aprovecha que aún no estoy totalmente empalmada y empieza a bombear. Aprovecho para introducir su consolador. Entra sin dificultad, pues ya estoy mojada y mi culo aún está lleno de semen. Presiona la bombilla hasta que le digo que pare. Sujeta el tubo con fuerza y empieza a hacer con el consolador lo que me había hecho a mí media hora antes.

Después de cinco minutos, suelta el aire del tubo para liberar mi polla, que está dura como nunca antes. Realmente no me disgusta haber venido.

Mientras me rellenan, me agarro al atributo de mi Apolo. Se la chupo. Incluso aprovecho para tragarlo completamente hasta que no puedo más. Estoy desatado. Nunca había querido follar así.

El primer invitado llega y entra directamente en la habitación. Cuando me ve, comprende inmediatamente que va a estar caliente. Se inclina para presentarse y yo aprovecho para besarle.

Es un hombre encantador, bastante guapo, rubio castaño y se llama Julien. Se desnuda directamente después, y me presenta su polla. Entonces tengo dos hermosas pollas sólo para mí, así que satisface a sus dueños.

Mientras mis dos guapos hijos se besan, empiezo a darles un buen masaje con la boca. Me dicen que chupo muy bien. Un pequeño chorro de semen de mi querido (creo que empiezo a enamorarme de él) de nuevo, es realmente exquisito.

Julien se retira para poder chuparme la polla. Un placer aún más intenso comienza a abrumarme.

Joachim llega y nos ve teniendo sexo. Se desnuda inmediatamente y se une a nosotros.

Es un guapo negro de 27 años con una bonita cola de al menos 30 centímetros. Me presenta su aparato inmediatamente para que le dé una golosina. Un hilillo de semen sale a los pocos segundos de empezar, se lo agradezco lamiendo al máximo para no dejar ni una gota.

Jean-Luc y David llegan casi al mismo tiempo. Asimismo, se desnudan directamente y se unen a nosotros. Julien se encarga de ellos.

Con cinco de nosotros, podríamos tener una buena orgía.

Joachim es el primero que quiere follar conmigo. Le presento mi culo, todavía relleno por el consolador de mi querida. La retira y entra su miembro directamente en mi agujero. Vengo con una ráfaga de placer. Como es un poco matón en la cama, su polla entra y sale a una velocidad loca. Probablemente nunca me he corrido como un cerdo. Y durante este tiempo, aprovecho para descubrir las pollas de Jean-Luc y David.

Tienen un tamaño un poco más tradicional, de unos 15 cm. Pero no me importa, quiero follar mucho.

Joachim se detiene y me dice que volverá. Es el turno de Julien. Es bastante sensible, comienza lentamente. Luego acelera ligeramente.

Luego fue el turno de Jean-Luc, después el de David y finalmente el de mi querida.

Comenzamos una nueva ronda, probando nuevas posiciones. Intento chupar el mayor número posible de invitados al mismo tiempo.

Entonces Joaquín se tumba y me pide que me ponga encima de él. Me empuja y luego le pide a mi querida que haga lo mismo. El suyo entra con dificultad, pero aun así consigue penetrarme. Siento dos pollas dentro de mí, el placer sube otro nivel en la escala. Comienza el baile, me corro directamente. Mi querida deja mi culo después de unos minutos, para dejar espacio a Julien. Y el ciclo se reinicia.

Todos empezamos a emocionarnos. Joachim le hace una señal a Julien para indicarle cuándo debe descargar. Todavía puedo sentir sus pollas dentro de mí, y de repente empieza a hacer calor. Entonces comprendí que mi querida les había advertido de mis deseos, y aceptaron directamente. Siento su semen llenando mi culo, por donde sale. Jean-Luc viene a su vez a descargar, luego David y finalmente mi Apolo, que aprovecha para follarme un buen rato antes de soltarse. Unos minutos después, me doy cuenta de que tengo el semen de cinco tíos dentro de mí. Y que si pudiera continuar, lo haría sin dudarlo.

Sin embargo, ahora tengo que pulir las mangas de mis pequeños queridos. No quiero dejar ni la más mínima gota de semen en ellos, ya que lo encuentro delicioso. Mi querido me hace lo mismo que antes, y me besa amorosamente con mi propio esperma. Siento que le pertenezco a través de este acto. Siento que el semen gotea de mi culo, lo que me sigue excitando.

Después, los cinco hablamos juntos. Aprovecho para darles las gracias, porque me ha parecido demasiado bueno. Joachim me pregunta si no es demasiado divertido tener el esperma de cinco tíos dentro de mí, y le digo que sí, pero que como estaba tan bien, es aún más excitante.

David, Julien y Jean-Luc se van poco a poco. Joachim le pregunta a mi querido si es posible tomar prestada su habitación para volver a drogarme. Él acepta y yo también, naturalmente.

Mi querida me mirará como un objeto sexual de un hombre negro y como una cagada en el culo. Igual que antes, lo descarga todo en mi culo.

Joachim me dijo antes de irse que no dudara en llamarle, si quería volver a hacerlo.

Decido pasar el resto del día con mi querida. Hicimos el amor cuatro veces más de la misma manera unas horas después. Y a la mañana siguiente me fui a casa. Tenía el culo al aire, pero era feliz. Conseguí todo lo que quería en medio día.

Hoy, mi querida se ha convertido en mi amante. Sabe que cuando mi novia está fuera de la ciudad o lo que sea, me reuniré con él para que podamos divertirnos juntos.

Joachim y yo también follamos juntos de vez en cuando, porque fantaseo mucho con hombres de color.

Espero que te haya gustado mi pequeña historia. Sobre todo porque mi cariño está preparando algo aún más intenso para mi cumpleaños dentro de unos meses.

En cualquier caso, después de habértelo contado, no he podido resistirme a eyacular sólo de pensarlo.

El urinario de la universidad

Un lunes por la mañana, antes de las clases, llego temprano a la facultad y aprovecho para ir al baño por una necesidad imperiosa. Nunca utilizo los urinarios debido a que mi pene es muy pequeño y me acompleja, pero obviamente los aseos "cerrados" ya están ocupados. No tuve más remedio que ir al orinal y sacarme el pene. Nada más empezar, entró un chico y se puso en el urinario de al lado y no sé por qué miraba su gran y bonita polla que se fijó en él.

Siguió con su pequeño negocio antes de agarrar mi mano y ponerla sobre su sexo y decirme:

"¡Has estado esperando esto!

Pero no -respondí-, no me interesan los hombres.

¿De verdad?"

En ese momento me agarró el sexo y empezó a masturbarme, al principio protesté pero al cabo de unos segundos mi pelvis empezó a ondularse mientras mi mano sacudía su sexo. Entonces me empujó de nuevo contra el orinal, bajándome los pantalones, tenía mi sexo en mi orina pero él continuó masturbándome, entonces sentí que se acercaba a mi ano y con un fuerte tirón introdujo su sexo dentro de mí. Qué desgarro, pero no tuve tiempo de decir nada, ya que comenzó su ida y vuelta en lo más profundo de mi ser, mientras me humillaba:

"¡Qué vergüenza, mi mano apenas se puede mover, el tamaño de tu sexo es ridículo!"

Y antes de que pudiera replicar, me puso la mano llena de mi orina en la boca, frotando y entrando en mi boca, sus empujones se hicieron cada vez más violentos y me bañaron en mi orina. Movió sus labios hacia mi cuello y me besó la nuca y me lamió mientras seguía humillándome:

"Te gusta la perra, ¿no? Di que te gusta que te rellene el culo

Humm sí continúa soy tu puta fóllame!!!"

Me folló durante unos segundos más antes de apoyarme en sus hombros y ponerme de rodillas:

"¡Chúpame perra!"

Empecé a chuparlo cuando empezó a agitar su pelvis me estaba follando la boca y me gustó meó en mi garganta luego me levantó y me puso contra el urinario me folló durante 10 minutos cuando de repente sentí sus jugos invadiendo mis entrañas mientras soplaba un gran suspiro por mi cuello... Se vistió de nuevo y dijo:

"¡Acaba contigo a mano, eso es lo que te mereces!"

Empecé a masturbarme mientras los chicos pasaban llamándome perra.

Embarcado a pesar mío en una historia loca...

Capítulo 1

Por aquel entonces tenía 23 años y había acogido a mi cuñado, al que acababan de echar de casa de mi hermana tras una de sus muchas discusiones.

Vivía en un estudio y sólo tenía una cama, así que por la noche no había otra solución que dormir juntos.

Bastante suave, nos quedamos dormidos como dos amigos.

Pasaron los días y las semanas y parecía que su separación era definitiva. Nos habíamos acostumbrado a esta convivencia, no siempre fácil con las chicas, pero ¡eh, éramos jóvenes!

Mi cuñado era bastante "inclinado sexualmente" y una noche me desperté y tenía una mano en mi ropa interior y evidentemente me había empalmado. Le aparté y le pregunté si estaba haciendo el tonto. Entonces encendió la luz y me dijo mientras subía la sábana "¡mira que tengo una de esas erecciones!

El hecho es que nunca había visto una cola tan grande.

Sin embargo, lo mandé a paseo y me volví a dormir unos minutos después.

Al día siguiente pensé en la escena, y debo admitir que me arrepentí un poco de no haberle tocado la cola, para ver...

Unas semanas más tarde, después de una noche de borrachera con los amigos, a eso de las 3 de la madrugada, nos fuimos todos a la cama.

Yo estaba sentada en el borde de la cama desvistiéndome y entonces se puso delante de mí, en calzoncillos, diciendo "mira, no puedo más"; ¡tenía una erección como un loco, con el glande sobresaliendo de los calzoncillos! Se acercó un poco más a mí y mientras se bajaba lentamente los calzoncillos me dijo: "Vamos, me vas a chupar la polla cuñado. Tenía su sexo de más de 25 cm delante de mi cara y con el alcohol ingerido toda la noche, no sé qué me entró, pero moví mi lengua hasta su glande y empecé a lamerlo suavemente, luego abrí la boca y empecé a chuparlo.

Yo también me empalmé, pero esperaba que no se diera cuenta por la forma en que estaba colocada frente a él. Estaba haciéndole una mamada, y de repente me dijo: "pero está empalmado, le gusta la polla y me lo ha estado ocultando durante meses".

Intenté explicarle que no entendía lo que me estaba pasando, pero evidentemente sin convicción, porque añadió "ahora te vas a poner de rodillas y me vas a chupar como una puta, y hasta el fondo, y te vas a tragar todo el semen que te voy a mandar a la garganta".

Quise apartarme, pero él era mucho más fuerte que yo, y con el alcohol que había bebido toda la noche no pude resistir su presión y me sujetó la boca en su polla.

Y mientras decía "mi polla es buena, ¿verdad?" me dijo que era buena! Me gustaría oírlo, pequeño PD que te gusta mi gran polla" noté que se ponía un poco más rígido, y de repente sentí chorros de esperma que no paraban de descargarse en el fondo de mi garganta...

"Vamos, trágatelo todo, putita" o mañana le explicaré a todo el mundo que anoche me chupaste la polla.

Me lo tragué todo, y mientras él iba al baño, yo volví a la cama y me dormí bastante rápido.

Pero hay mañanas que no son tan buenas....

Capítulo 2

Después de esta noche tan especial, me desperté con la cabeza todavía en el cubo y me vino a la cabeza el resultado de nuestra noche: ¿había estado soñando o realmente le había hecho una mamada a mi cuñado? Incluso borracho, ¡nunca habría imaginado hacer algo así!

Él seguía durmiendo, me levanté tranquilamente y fui a ducharme.

Poco a poco, todo volvió a mi mente, y me di cuenta de la realidad: ¡realmente le había chupado la polla, e incluso me había tragado su esperma hasta el final!

Mientras pensaba en ello, me di cuenta de que se me estaba poniendo dura. ¿Qué pasaba por mi cabeza? Yo, que nunca había tenido ningún tipo de relación homosexual, me excitaba esta nueva situación?

Salí de la ducha y volví al dormitorio para vestirme. Estaba despierto, con la sábana levantada y los calzoncillos medio bajados, mostrando una increíble erección. "Es hora de una mamada, mi mariconcito", dijo cuando me vio llegar.

Iba a reaccionar negativamente, pero desgraciadamente vio que tenía un principio de erección a través de mi ropa interior.

Entonces me dijo: "¡Veo que ya te está excitando! De todos modos, si no quieres que se lo cuente a nuestros compañeros, a partir de ahora tendrás que obedecerme", así que, para empezar, ponte de rodillas al borde de la cama y ven a chuparme la polla. Será así cada mañana, una buena mamada para ponerme en forma.

Le dije, pero estás enfermo, ayer fue un accidente debido al alcohol, no hablemos de ello, no soy marica.

- No lo eras, pero ahora lo eres, y eres Mi PD te guste o no, ayer mientras me chupabas la polla, obviamente con placer, ¡ni siquiera te diste cuenta de que te hice una foto! Tengo pruebas de tus actos, así que si no quieres que todo el mundo lo sepa, tendrás que obedecer".

- Es repugnante lo que has hecho, ¿y por qué yo?

- Sabía que te gustaría la polla!

- Pero en absoluto

- Pero sí, mira, todavía se te pone dura, ¡sólo de pensar que tendrás que hacerlo todos los días! Pues bien, ¡basta de hablar! Chúpamela, bien, hasta el final como ayer, te gusta el esperma, lo he visto, perra! Y me gusta tu boca, ¡estamos hechos para llevarnos bien!

- No sabía qué decir, y finalmente me arrodillé para actuar con vergüenza, pensando que ya lo discutiría más tarde con más seriedad.

Me humilló con palabras obscenas mientras se la chupaba, pidiéndome que le repitiera que me encantaba su polla, que quería todo su semen, etc. etc.

Y por segunda vez en pocas horas, vació sus pelotas en mi boca y tuve que tragarlo todo.

Estaba a punto de levantarme cuando me dijo "espera, ven a limpiarme la polla con la lengua".

Tuve que lamerle lo mejor que pude para quitarle todo el semen de la polla y los huevos, pero enseguida se le puso dura de nuevo.

- Tienes suerte esta mañana, estoy en buena forma, ¡así que podrás darme otra!

- Vamos, deja de humillarme, le digo.

- No, no, vas a chupármela otra vez...

- Tuve que hacerlo una vez más, que duró un poco más, y ahora en lugar de sujetarme la cabeza cuando estaba a punto de correrse, me dijo: ¡Voy a descargar en tu carita de puta, así que quédate ahí y termina de masturbarme delante de tu cara!

Recibí varios chorros en la cara y tuve que volver a chuparle la polla para limpiarla.

- Ahora levántate, dice. Vas a masturbarte ya que todavía tienes una erección!

Tuve que obedecer y, desgraciadamente, probablemente excitada a pesar de mí misma, prácticamente me corrí después de unas cuantas idas y venidas.

-" Se ve que has disfrutado chupándomela", dice irónicamente. Lo haremos de nuevo esta noche y mañana por la mañana, y así todos los días, ah, ah, ah,

Capítulo 3

Por la noche, llegué a casa del trabajo, todavía en estado de shock por lo que había pasado el día anterior y por la mañana: le había hecho tres mamadas a mi cuñado sin que él me obligara realmente, aparte de amenazarme con contárselo a todos los que me rodeaban, con pruebas de las fotos que había hecho según sus afirmaciones.

Estaba en este punto de mis pensamientos cuando sonó el timbre de la puerta.

Me levanto para abrir la puerta y descubro a mi cuñado, con los pantalones y los calzoncillos bajados, con la polla ya erecta:

- Vamos, ponte de rodillas y chúpame la polla.

- ¿Eres tonto o qué?", respondo, "¡Cualquiera podría vernos! ¿Cómo quedaría yo, y no estás cansado de abusar de la situación?

- ¿Prefieres que se lo cuente a la gente enseñándoles fotos tuyas de rodillas chupándome la polla? No, entonces hazme un favor ahora mismo, aquí; ¡estaba soñando con ello en mi coche! Empieza por besarla y lamerla, sé que te gusta mucho.

No sabía qué pensar, porque efectivamente me estaba empalmando sin entender si me excitaba la polla de mi cuñado o mi sumisión a sus caprichos.

No sabía qué más hacer, pero bajé a la altura de su polla y empecé a besar su sexo, luego a lamerlo desde los huevos hasta el glande, antes de empezar la mamada que me pedía.

- Buena, ¿eh? No te preocupes; no será la última del día, la harás de nuevo antes de irte a dormir.

Estaba ocupada haciendo lo que tenía que hacer para acortar la incómoda situación en el rellano, pero no oí que se abriera la puerta de nuestro vecino. Un portugués de unos cuarenta años, soltero hasta donde yo sé.

- ¿Nos estamos divirtiendo, vecinos? ¿Tal vez pueda unirme? Entonces mi cuñado, sin una sombra de vergüenza, le dice: bájate los pantalones, que va a hacer uno después de mí.

Sentí que iba a correrse de nuevo y quise retirarme, pero el previsor me atajó bien la cabeza y sólo pude recibir una vez más sus chorros de semen en el fondo de mi garganta.

- Vamos, ¡traga perra y sigue adelante!

El vecino no dudó, ya estaba erecto con la polla al aire y antes de que pudiera levantarme tenía su polla en la boca.

- Sopla al vecino o ya sabes...

Abrí la boca para quejarme, y el otro introdujo su enorme polla y me sujetó la cabeza.

- Es cierto que parece que le gustan las pollas, ¡este mariconcito!

- Tienes razón -dijo mi cuñado-, mira su erección", y con ello me bajó los pantalones y los calzoncillos, dejando al descubierto mi sexo erecto. ¿Estaba descubriendo el placer de hacer mamadas?

Capítulo 4

Unos días más tarde, una tarde mi cuñado me llamó al trabajo: "Oye, tengo un amigo que viene a cenar esta noche, ¿puedes hacer algunas compras?

Quién es ese amigo, le pregunto

No lo conoces, es un almacenista de la empresa, un beur muy simpático (¡me dice riendo!)

Tenía un mal presentimiento sobre el plan!

Hice algunas compras y cuando llegué a casa ya habían llegado y estaban tomando una copa y mirando fotos. (Estas eran las fotos que mi cuñado me había hecho de rodillas haciéndole una mamada)

- ¿No vas a saludar a mi novio?

Le doy la mano avergonzado.

Mejor que eso, dice mi cuñado!

¿Qué quieres decir?

Poniéndote de rodillas! Tiene una polla muy bonita y ha estado solo durante un tiempo, así que... una pequeña mamada antes de comer... ¡luego nos ocuparemos de los dos! Como te gustan las pollas, te vamos a satisfacer

No, ¡pero estás enfermo!

Ya has visto las fotos, así que si no quieres que se sepa, ¡más vale que seas amable con mi novio!

Eres repugnante por aprovecharte de la situación.

Entonces el beur de 40/45 años se levanta y me dice

Vamos, date prisa, ven a bajarme los pantalones y los calzoncillos, tengo uno muy grande, te gustará PD.

Dividido entre la vergüenza y la angustia ante estas fotos, me acerqué al tipo, le desabroché el cinturón, le bajé la bragueta y le bajé los pantalones hasta las rodillas. A través de sus calzoncillos blancos, pude ver que debía estar bien montado! y, por desgracia, ¡estaba empezando a excitarme!

- Vas a bajarle los calzoncillos con los dientes -dijo mi cuñado-, pero antes empieza a lamerlos a través de la tela.

Acerqué mi boca a él y comencé a lamerlo a través de su ropa interior. Pronto sentí que empezaba a ponerse duro.

- Tienes razón -dijo a mi cuñado-, ¡parece que le gusta! Vayamos al grano (y es cierto que empezaba a tener ganas de tener su polla en la boca)

Cogí la parte superior del calzoncillo entre los dientes y tiré de él hacia abajo, dejando al descubierto una impresionante polla circuncidada.

Empecé a chuparlo, tratando de llevarlo hasta el fondo de mi boca. Me cogió la cabeza y empezó a follarme la boca como un loco. No duró más de 5 minutos y de repente me dijo: para, coge mis pelotas con las manos, acarícialas mientras das pequeños lametones en mi glande, y sobre todo no te eches atrás, que te voy a dar un bocado.

Le di unos cuantos lametones en el glande, como me pedía, y de repente sentí chorros de semen que inundaban mi cara, mis labios y mi lengua, que seguía lamiéndolo. Me sentí bien! Estaba todo sobre mí, y el tipo de la polla me traía el semen a la boca y me decía que me lo tragara todo.

Capítulo 5

El novio de mi cuñado estaba empezando a subirse los calzoncillos y los pantalones.

- Es dócil y lo hace como una puta, como si le gustara?

- Pero en absoluto", dije, "es por las fotos...

(A decir verdad, empezaba a dudar de ello).

Con eso, mi cuñado me baja bruscamente el pantalón del chándal mostrando mi completa erección a través del calzoncillo.

- ¿Así que no te gusta? Mentiroso, ¡se te ha puesto dura la polla de tu tía!

No sabía qué decir, por supuesto.

- Pero es verdad que el mariconcito está empalmado! Tienes razón, a él le gusta, ¿qué tal si los dos lo cuidamos un poco más?

Sentí que iba a salir mal.

Con eso, mi cuñado me agarra por los brazos y me inclina sobre la mesa de la cocina. Ahora nos ocuparemos de ti para siempre!

Su novio me inmovilizó las piernas (a decir verdad, no me resistía, de todos modos, con 1,60 m y 55 kg no era rival para los dos)

Me bajó la ropa interior con brusquedad y, estúpidamente, ¡empecé a correrme!

No, pero mira, dice mi cuñado, acaba de descargarse, ¡y después dice que no le gusta!

Me voy a follar a esa zorrita hasta dejarla seca, dice su novio.

No, eso no, ¡por favor!

Deja de gritar, me dijo mi cuñado, ¡estás a la altura! Me la vas a chupar! Como quieras, ¡entonces ocuparé el lugar de mi amigo que acabará en tu boca de mamada! Maldito cuñado, ¡lo has ocultado bien! Vas a conseguir una polla, ¡y más de la que crees!

Sentí que su compañero se frotaba contra mí y empezaba a forzar mi culo, y de repente me penetró suavemente pero cada vez más profundamente.

Te voy a dar una patada en las pelotas! Te va a gustar!

Me dolió, al no haber estado nunca allí.

Pero poco a poco fue metiendo toda su polla, y tuve que empezar a dilatar, ya que el dolor disminuyó.

Entonces sentí que entraba y salía, lentamente al principio, luego cada vez más rápido.

Estaba chupando la polla de mi cuñado.

Me tomaron por los dos lados como si fuera una zorra y lo peor es que me gustó! Dominado, humillado, ¡se me empezó a poner dura otra vez! No es necesario ocultar mi placer!

De nuevo, les digo, más polla, quiero tu semen. Cambiaron de lugar y el novio se corrió en mi boca, donde descargó varios chorros de semen que yo tragué con placer, mientras lamía su glande.

Mi cuñado me apretó un poco más, e hizo lo mismo en mi culo.

Nunca me había divertido tanto; debía de ser un DP desde hace mucho tiempo, sin haberlo reconocido nunca antes...

Y desde entonces, se la he chupado a todos sus compañeros y han venido a follar conmigo.

Una reunión de iniciación

Fue hace diez años, en julio. Estaba a punto de cumplir 19 años y acababa de aprobar el bachillerato. Mis padres me habían regalado una preciosa bicicleta nueva como recompensa y nos habíamos ido a nuestro alquiler de vacaciones en Boyard ville, en la isla de Oléron.

Como era un solitario, me gustaba salir solo a dar largos paseos en bicicleta, sobre todo por el enorme pinar de Boyard ville y por los caminos que llevaban a la gran playa de arena rubia. Lo único que llevaba entonces era mi bañador de nylon rojo y un par de chanclas.

En aquella época todavía era un adolescente alto, tímido y acomplejado, incómodo en mi cuerpo bien construido, pero algo delgado y musculoso. Mi pelo castaño rizado era como un casco que ocultaba parcialmente mi frente. Los ojos verdes, la nariz ligeramente arqueada y la barbilla cuadrada completaban un rostro bastante agradable.

Todavía era virgen, y esto fue especialmente duro para mí este verano, cuando ya había pasado la agonía del examen. Las chicas no parecían estar interesadas en mí y les di crédito por ello. Me parecieron superficiales, aburridos y amanerados. Por otra parte, tenía amigos en la escuela, algunos de los cuales me resultaban extrañamente inquietantes. Guapos, directos, naturales, viriles, los admiraba, los envidiaba y amaba su compañía. Su sola presencia me conmovía y buscaba con gusto el contacto físico, aunque sólo fuera un apretón de manos, una palmada en el hombro, un toque en la nuca. Intentaba analizar mis sentimientos, pero me apartaba cuando me venía la idea de que probablemente me gustaban más los chicos que las chicas. La homosexualidad me asustaba y no me atrevía a ver mis relaciones desde esa perspectiva. Tuve una educación muy estricta y clásica. Además, mis dos hermanos mayores tenían novias desde hacía mucho tiempo y me contaban, cuando tenían ganas de hacer confidencias o querían despertar mis celos, sus hazañas sexuales.

Un día, a última hora de la tarde, me dirigí a la playa de la ciudad de Boyard, por un largo camino de arena, a través del bosque. Había dejado mi bicicleta y mis chanclas en un aparcamiento a la entrada del camino. Cuando llegué a la playa, caminé durante mucho tiempo, hacia el oeste, a lo largo del agua, como me gustaba hacer. Llegué a una zona donde vi naturistas. Era la primera vez que los veía y al pasar los miraba con interés e incluso con emoción. Había de ambos sexos, de todas las edades, feos y guapos. Por supuesto, mis ojos se detuvieron en las más bellas, especialmente en los hombres. Parecían estar perfectamente a gusto, con sus culos y sexos expuestos a todas las miradas.

Continué mi camino, sin detenerme. Un poco más adelante, me encontré en un tramo de playa desierto, lejos de todo, con las dunas a mi izquierda y el océano a mi derecha. Sin pensarlo, me detuve un momento, me quité el bañador con un rápido movimiento y, agarrándolo con la mano derecha, reanudé mi avance. Yo también estaba desnuda, toda desnuda, mi sexo oscilando entre mis piernas, mis nalgas al aire. De repente me sentí libre, fundido en la naturaleza, como si al quitarme la ropa interior me hubiera descargado de un pesado yugo. Una extraña sensación de alegría, de liberación! Una sensación beneficiosa!

Continuando mi paseo con gran placer, llegué a un tronco de árbol arrastrado en la playa, todo enarenado y anegado. Todavía hacía calor y el sol seguía bastante alto. Me apetecía bañarme, con la ropa más sencilla. No había nadie a mi alrededor. Así que puse mi bañador en el tronco y corrí al agua. Lucho con las olas, saltando, buceando, nadando. Mis miembros se mueven libremente en el agua y ésta se desliza sobre mi piel. Descubro el placer de nadar desnudo.

Pero cuando quise salir del agua, vi que un hombre estaba sentado en el tronco donde había dejado mi bañador y me observaba. Me parecía que él también estaba desnudo y no sabía qué actitud adoptar. Cuando no se movió, decidí salir del agua, a pesar de mi vergüenza, intentando ocultar mi sexo con las manos. Debí de parecer ridícula, pero el hombre fingió no darse cuenta. Al acercarme a él pude observarlo. Efectivamente, estaba desnudo y había puesto sus calzoncillos sobre mi bañador. Tenía unos cuarenta años, el pelo corto y castaño, los ojos oscuros, bien construido y musculoso, muy bronceado, pero sobre todo parecía muy peludo, con mechones negros en el pecho, el estómago y el pubis. Su sexo me impresionó, colgando entre sus piernas abiertas, con su bursa oscura y voluminosa y su pene largo y grueso, con el glande libre.

No sabía cómo agarrarme y, cuando cogí el bañador, me detuvo y me dijo: "Primero tienes que secarte. Siéntate un momento. Mi nombre es Alexander, ¿cuál es el tuyo?

Su voz es profunda, con un pronunciado acento del suroeste y el uso de lo familiar hace que mis mejillas se pongan rojas. "Mi nombre de pila es Bernard", le digo, mientras me siento torpemente, lo suficientemente lejos de él, con las piernas y las manos cruzadas para mantener ocultos mis atributos masculinos.

"¿Me tienes miedo? No voy a comerte", exclama, mientras se acerca a mí. "Por qué ocultar tu virilidad, estamos entre hombres", añade con una sonrisa cómplice.

A decir verdad, si era naturalmente muy modesto, debo admitir que no estaba muy orgulloso de mi sexo. Me pareció que mi pene era demasiado pequeño, mis pelotas estaban flácidas y mi vello pálido era poco masculino. Cada vez que me miraba desnudo frente al espejo, ya sea en reposo o masturbándose, sentía que la naturaleza me había dotado de muy poco. Una vez medí mi pene erecto y descubrí que sólo medía unos modestos 17 cm. Mis hermanos a veces se reían de mí con sus 19 y 22 cm.

En este momento de mis reflexiones, un brazo pasa por mi espalda, una mano se apoya en mi hombro derecho y el hombre me dice al oído: "Si te avergüenzas de tu sexo, la mejor manera de deshacerte de este sentimiento es no ocultarlo.

Probablemente tenga razón. Con un intenso esfuerzo, consigo separar las manos, revelando mi sexo en reposo en el hueco formado por mis piernas aún cruzadas, ahogadas en el vello púbico. Al hacerlo, mi mano izquierda golpea involuntariamente su muslo. Siento el pelo, la piel cálida, su estremecimiento ante mi tacto. Retiro rápidamente la mano, pero demasiado tarde. Se ha dado cuenta de mi gesto y tengo un principio de erección que no se le escapa. No dice nada, vuelve la cabeza hacia el océano, pero su mano se desliza desde mi hombro hasta mi costado, luego baja hasta mi cadera y finalmente cae delicadamente sobre mi muslo derecho.

Estoy petrificado, con el corazón acelerado, todos mis sentidos despiertos, y con horror noto que mi pene se levanta contra mi vientre, todo palpitante. Finalmente me levanto bruscamente, casi gritando: "¡Déjame en paz!" y doy tres pasos hacia delante, hacia las olas que rompen en la playa, ocultándole mi erección. Pero mi ropa interior sigue en el maletero y no puedo huir así, totalmente desnuda. Y entonces, este cuerpo de hombre que he visto de cerca, rozado, tocado, este sexo masculino y peludo que he admirado, todo esto me hace desear y me retiene.

Pero Alejandro me llama; "Bernard, ¿sabes que tienes un gran culo? Créeme, eres un hombre guapo. Y puedes lucir tu cuerpo sin complejos". Siento que se ha levantado a su vez y se acerca a mí. Estoy temblando de deseo y también de miedo. ¿Qué me va a pasar? ¿Qué puedo hacer? ¿Huir de este lugar? ¿Dejar que me lo haga? ¿Pelear con él? ¿Darse la vuelta y mostrarle mi sexo erecto, expresando mi deseo?

Finalmente siento sus dos manos acariciando mis nalgas, con ternura, con sensualidad, rozando mi separación, deslizándose entre mis piernas abiertas, subiendo por mis caderas, pero evitando cuidadosamente mi sexo. Esta última está caliente y temblorosa y espero con impaciencia que Alejandro la toque por fin, para halagarla con sus manos. Pero él no lo hace y deliberadamente intenta que el deseo en mí vuelva a surgir. Sus manos están ahora en mi estómago. Lo sienten, dando vueltas alrededor del ombligo, subiendo hacia el pecho. Al mismo tiempo, siento el cuerpo de Alexander apretado contra mi espalda y su sexo hinchándose y subiendo, endureciéndose, entre mis piernas. Ahora sus manos están en mis pezones, pellizcándolos, frotándolos, haciendo que se hinchen. Todo mi cuerpo arde y se excita. Y ahora su voz me susurra: "Me gustas Bernard, te deseo y quiero que descubras los placeres del amor. Confía en mí, relájate".

No puedo soportarlo más. Toda mi resistencia está cayendo. Sólo mi cuerpo manda. Me doy la vuelta y me entrego a sus brazos, mi cabeza sobre su hombro, mis manos sobre sus carnosas nalgas, nuestros sexos levantados y apretados vigorosamente. Me abraza, busca mi boca y me besa. Nuestras lenguas se encuentran, se enredan, nuestra saliva se funde. Sus manos cálidas y vigorosas recorren toda mi espalda, mis lomos, mis nalgas tensas, desencadenando en mí como destellos de placer.

Jadeando, nos apartamos un poco y Alexander rodea mi pene con su mano derecha y, muy lentamente, empieza a masturbarme, liberando el glande del prepucio, y luego moviéndose hacia delante y hacia atrás a lo largo de mi miembro, con una suave presión. No puedo vencer mi deseo de tocar también su sexo, erecto ante mí, la imagen misma de la virilidad. Mis dedos tocan sus pelotas peludas, suben a su eje. Qué vivo es este sexo, que reacciona al tacto! Continúo mi caricia a lo largo de su pene, luego me deslizo sobre su glande ardiente, palpo con un dedo el meato húmedo.

Pero de repente Alexander se arrodilla en la arena a mis pies y su boca se acerca a mi sexo, su lengua lame mi bursa, luego la vit, antes de engullirla por completo. Me chupa vigorosamente, recubriendo mi miembro con su saliva, mientras sus manos me amasan las nalgas y uno de sus dedos se clava en mi ano. Le agarro la cabeza con las dos manos y gimo de placer, en total abandono. Puedo sentir cómo llega el placer, igual que cuando me masturbo sola, pero más intenso, más rápido. Soy incapaz de contenerme y con un fuerte grito me descargo en la boca de mi compañera, que se traga con avidez mi caliente y espeso semen, hasta la última gota.

Finalmente me desplazo entre sus rodillas, sobre la arena aún caliente, y con ambas manos lo masturbo. Con los brazos plantados detrás de él en la arena, se deja hacer. Su pecho sube y baja al ritmo de su respiración jadeante, sus labios se abren hasta sus blancos dientes y su lengua se mancha con mi esperma, sus piernas dobladas se crispan. De repente, grita de placer y eyacula violentamente, enviando su semen sobre mi vientre y mi pecho en largos chorros.

Tumbados en la arena, nos besamos durante mucho tiempo, presionándonos mutuamente mientras rodamos por la playa. Luego corremos a bañarnos para limpiarnos, a la luz brillante del sol poniente.

Todavía desnudos, nos ponemos el traje de baño y caminamos hacia el camino de vuelta, cogiéndonos tiernamente por las caderas. Esta vez, la presencia de otras personas con las que nos cruzamos, vestidas o desvestidas, ya no me molesta. Disfruto bastante mostrando mis atributos varoniles y mis blancas y rollizas nalgas a mi nueva compañera

"Sabes, Bernard, todas las tardes estoy junto a ese baúl descolorido. Si quieres, cuando quieras, puedes reunirte conmigo allí", dice de nuevo antes de que nos separemos. No le prometo nada, pero lo grabo, deseando volver a verlo y continuar mis descubrimientos amorosos en su compañía. Entonces salgo corriendo por el camino, a través del bosque, para encontrar mi bicicleta y volver a casa de mis padres.

Por supuesto, volví a esa playa al día siguiente, emocionada por esta primera experiencia. Nos encontramos de nuevo. Nos amamos, en las dunas, en la playa, en el agua cerca de la orilla e incluso en el bosque.

Hoy vivimos juntos. En casa, en París, en verano y en invierno, siempre estamos desnudos. Por supuesto, ha envejecido, su pelo está encaneciendo, pero su cuerpo sigue siendo musculoso y su vientre bastante plano. Todavía le quiero, pero a veces le soy infiel. Él lo sabe y lo acepta. A veces, cuando traigo a un amigo a casa, incluso participa en nuestro acto sexual, ya sea como espectador o como actor.

Para estas vacaciones, que marcan el décimo aniversario de nuestro encuentro, volvimos a la isla de Oléron, en un camping naturista, cerca del bosque de Boyard ville. Nos alojamos en una casa móvil, con Hamid, un joven beur que conocimos en una carretera de Charente, haciendo autostop. Por el camino me lancé sobre él y pareció divertirse. A decir verdad, es un cachondo, que se folla alegremente a las chicas y a los chicos y que desprende alegría de vivir. Así que le invitamos a quedarse con nosotros, porque a los dos nos gusta. Para respetar las normas del lugar, aceptó desnudarse y vivir desnudo, como nosotros. Su cuerpo atlético, su piel morena, su pecho peludo, su sexo circuncidado, sus nalgas musculosas, expuestas delante de nosotros en cualquier circunstancia, a menudo nos ponen duros y entonces es la señal para un trío caliente.

Se avecinan tres semanas de grandes vacaciones!

Agradecimientos

Aquí llegamos al final de esta colección.

Gracias una vez más por comprar mi libro; ¡espero sinceramente que estés satisfecho!

Si te han gustado las historias, te invito a dejar una reseña y a seguirme en mis canales sociales (¡hay cuatro historias gratis esperándote!)

allmylinks.com/erosandlovegay

Milton Keynes UK
Ingram Content Group UK Ltd.
UKHW040658101023
430299UK00001B/130